KB104141

여행작가들의 특별한 여행

권태용 김기덕 김미희 소은순 신성자
안현숙 유종숙 이영미 이우자 임광숙 황경하

여행작가들의

특별한 여행

발 행 일	2024년 7월 15일
지 은 이	권태용 김기덕 김미희 소은순 신성자 안현숙 유종숙 이영미 이우자 임광숙 황경하
편 집	이소희
디 자 인	김모정
발 행 인	권경민
발 행 처	한국지식문화원

출판등록	제 2021-000105호 (2021년 05월 25일)
주 소	서울시 서초구 서운로13 중앙로얄빌딩 B126
대표전화	0507-1467-7884
홈페이지	www.kcbooks.org
이 메 일	admin@kcbooks.org
ISBN	979-11-7190-038-1

권태용 김기덕 김미희 소은순 신성자
안현숙 유종숙 이영미 이우자 임광숙 황경하

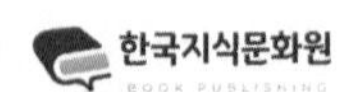

발간사

여행작가들의 특별한 여행

한국출판지도사협회 소속 11인의 여행작가가 함께 펼치는 일상의 소중한 여행 이야기입니다. 11인의 특별한 여행작가들은 이 책을 통해 여행의 아름다움과 경이로움을 독자 여러분과 나누고자 합니다. 각자의 시선과 경험으로 풀어낸 이야기들이 모여, 하나의 작품으로 탄생하게 된 것에 깊은 감사를 드립니다.

여행은 단순한 물리적, 지리적 이동만을 의미하지 않습니다. 새로운 문화를 체험하고, 사람을 만나고, 삶의 또 다른 면을 발견하는 과정입니다. 이번 공동 저서를 통해 우리는 각기 다른 장소에서 느낀 감동과 영감을 여러분께 전하고자 합니다. 이 책은 우리의 발걸음이 닿은 곳곳의 소리, 냄새, 풍경을 생생하게 담아내고자 한 노력의 결실입니다.

이 책을 통해 독자 여러분이 새로운 시각으로 세상을 바라보고, 스스로의 여행을 꿈꾸게 되기를 바랍니다. 각기 다른 이야기가 모여 하나의 완성된 그림을 만들어 내듯, 이 책이 여러분의 마음속에 아름다운 여행의 한 페이지로 남기를 소망합니다.

끝으로, 이 책이 나오기까지 도움을 주신 모든 분들께 깊은 감사의 인사를 전합니다. 독자 여러분의 사랑과 관심이 이 책에 생명을 불어넣습니다. 그 작은 씨앗은 타인의 가슴을 달구고 변화시키는 커다란 울림이 될 것입니다.

감사합니다.

권경민
발행인
한국지식문화원 대표

Table of Contents

권태용

kwonty3388@naver.com

죽어가는 매장 살리기 시리즈 저자
창업 판매 전문 지원센터 교육원장
온 오프라인 판매 책임 연구원
정부 정책 자금 컨설팅 전문가
소자본창업, 1인 창업전문 지도교수
글로벌 세종창업연구소 책임연구소장
세종대학교 호텔경영학 박사
방송전문 마케팅 강사
출판지도사
한국출판지도사협회 부회장 및 대전 서부지부장

"인생도 여행도 마지막에는
'즐거운 여행'만을 생각한다.
내가 살고 싶은 방향이고,
내가 원하는 여행이다.
그것이면 충분하다."

자연의 소리 들으려

찾아 나선

'직지사' 소리 여행

1,600년 고찰 직지사와
경치에 매료된 사명대사공원의 하모니

TRAVEL

부드러운 산세를 지닌 황악산 기슭에 1,600년 역사를 간직한 고찰 직지사가 있다. 부처님의 지혜와 자비로 중생의 기쁨과 아픔을 함께해온 '동국제일가람' 천년의 지혜, 천 불의 미소 직지사로 여행을 떠나보자.

직지사로 가는 길에 먼저 발길을 끄는 곳이 있다.

사명대사공원이다.

매력적인 경치의 직지사 사명대사공원은 체류형 관광테마공원이다. 황악산의 수려한 풍광을 배경으로 직지사의 역사 문화자원을 함께 체험할 수 있는 김천의 대표 관광지라 할만하다.

'유정' 사명대사는 14~15세에 부모를 여의고 방황하고 있었다. 어느 날 직지사까지 왔다가 배가 고파 은행나무 그늘 널찍한 바위 위에서 잠이 들었다. 당시 주지였던 신묵화상이 참선하던 중 사천왕문 앞에 황룡이 승천하는 환영을 보고 이상하게 여겨 나가보니 한 아이가 바위 위에서 곤히 잠들어 있었다. 신묵대사는 이 아이가 자신이 꿈에서 본 황룡임을 직감하고 거두어 제자로 삼았으니 그가 바로 신묵대사의 제자로 출가한 사명대사이다.

〈공원 한가운데 우뚝 솟은 평화의 탑〉

의승병을 일으켜 나라를 지키고자 했던 사명대사의 정신과 평화를 바라는 국민적 염원을 담은 평화의 탑은 웅장함과 멋스러움이 넘쳐난다. 사명대사는 1592년 임진왜란이 일어나자 의승병과 함께 의승도 대장으로 평양성을 탈환하고 수락산 대첩 승리를 이끌었다. 대사는 특히 1604년 강화교섭을 위해 일본에 사신으로 파견, 탁월한 외교력으로 전란 당시 잡혀간 조선인 포로 3,500여 명을 데리고 귀국했다. 또한 전쟁으로 중단되었던 조선통신사를 복원하여 200년이나 지나도록 평화적 외교의 발판을 마련하였다.

친구와 함께 직지사를 찾았을 때 주변에는 자두꽃이 만개(滿開)했다. 온통 순백의 꽃으로 가득했던 김천의 오월 풍경, 그때를 그리워하듯 얼마 전 우연히 던진 말 한마디에 친구는 다시 천년고찰 직지사 여행으로 다가왔다.

나는 늘 친구와의 여행은 하모니를 떠올린다. 그래서 직지사와 더 잘 어울렸는지도 모른다. 직지사는 절의 영역과 숲의 영역이 합을 이룬다. 여기저기 흩어진 나무는 법당 마당까지 밀고 들어와 숲과 자연스레 어우러진 직지사는 다른 절보다 더 신선한 공간감을 만끽할 수 있다. 대웅전과 비로전 사이에 들어선 숲길은 그런 어울림으로 이어진다. 직지사에서는 대웅전에서 비로전으로 가려면 단풍나무숲을 지나게 된다. 경내의 한 통로가 짙은 숲으로 덮인 건 직지사가 유일하다.

자연 속 직지사의 또 다른 특징은 숲길 사이사이에 나 있는 수로다. 계곡에서 물을 끌어들여 사찰 경내 곳곳으로 흐르게 했다. 많은 사찰의 수로는 물을 안에서 밖으로 빼내는 역할을 하는데, 직지사는 오히려 계곡물을 절 마당으로 끌어놓았다. 그 물길이 이곳저곳 숲길을 따라갔다가 전각의 담을 끼고 돌아오기도 한다. 황악산의 울창한 계곡을 타고 절 마당의 수로를 따라 천불암 담벼락을 돌고 황악루 앞을 가로질러 만세루 앞 소나무 숲으로 흘러내린다. 아기자기하게 이어진 물길을 따라다니다 보면 어느새 자연의 그윽한 소리에 젖는다.

법당 안에는 여러 불상이 모셔져 있는데 그 한 가운데 유일하게 고추를 내놓은 탄생불이 서 있다. 법당에 들어섰을 때 이 불상을 가장 먼저 보면 아들을 낳는다는 말이 전해지고 있다. 아들이 없는 내 친구는 그 앞에서 시집갈 딸을 생각하는지 살며시 눈을 감고 있었다. 아마도 친구는 이런 생각을 하고 있지 않았을까.

'내 눈에는 아직 어린 네 모습만 보이는데 벌써 결혼하는구나.
인생 별거 없다. 아들딸 구별 말고 남편과 재미있게 잘 살아라!
이 세상에서 나는 누구보다도 너를 사랑한다.'

친구와의 여행은 일상에서 벗어난 일종의 일탈이었다. 1,600년 고찰 직지사와 경치에 매료된 이 여행이 우리 삶의 활력소가 되고 우리 우정도 돈독하게 만들어주었음을 이야기하면서 진정한 우정의 의미도 되돌아보는 계기가 되었다.

직지사의
역사, 현황, 보물

TRAVEL

직지사는 418년(눌지왕 2) 삼국시대 고구려의 승려 아도가 창건했다고 한다. 직지사(直指寺)라고 한 데는 세 가지 설이 있다. 아도화상이 선산에 도리사를 창건하고 황악산을 손가락으로 가리키며 '저쪽에 큰 절이 설 자리가 있다'라고 하여 직지사로 불렸다는 설과 고려 초기에 능여가 절을 중창할 때 절터를 측량하기 위해 자를 사용하지 않고 직접 손으로 측량하여 지었기 때문이라는 설, 선종의 가르침을 단적으로 표현하는 '직지인심 견성성불'에서 유래된 이름이라는 설이 있다.

창건 이후 645년(선덕여왕 14)에 자장이 중창하고, 930년(경순왕 4)에 천묵이 중수하였으며, 936년(태조 19)에 능여가 태조의 도움을 받아 크게 중창하였다. 당시의 중요 건물로는 대웅대광명전 · 대비로금당 · 극락전 · 원통전 · 지장시왕전 · 응진전 · 설법전 · 선등각 · 대장전 등이 있었다. 현재 금석문으로 남아 있는 대장전비에 의하면, 이

절의 대장전에 금자사경 593함이 있었음을 알 수 있다.

조선 시대에는 1399년(정종 1)의 중건과 1488년(성종 19) 학조의 중수가 있었으며, 1596년(선조 29) 왜병들이 불을 질러 43동의 건물 가운데 천불전 · 천왕문 · 자하문을 제외한 모든 건물이 타버렸다. 이 때 법당 앞에 있던 대형 5층 목탑도 소실되었다.

그 뒤 1602년부터 70여 년에 걸쳐 절을 중건하였는데, 1681년(숙종 7)에 조종저가 쓴 사적기에 의하면, 당시의 규모가 8전 · 3각 · 12당 · 3장 · 4문에 정실만 352칸에 달했으며, 부속 암자는 26개가 있었다고 한다. 그러나 1805년(순조 5) 이후부터 사세가 차츰 기울기 시작하여 퇴락을 거듭하게 되었다.

현대에 이르러 대대적인 중건에 착수하여 1966년부터 1981년 10월까지 10동의 건물을 중건하고 10동을 이건했으며, 9동을 중수하였다.

[직지사의 현황과 보물] 직지사는 다양한 템플스테이 프로그램을 갖추고 있는 것으로 유명하다. 템플스테이는 사찰 생활을 일반인도 경험할 수 있는 프로그램으로서 2002년 월드컵 당시 외국인을 위한 '한국불교전통문화체험(Buddhist Temple Stay-Korea)'을 시행하면서 본격적으로 자리 잡았다.

직지사가 갖추고 있는 템플스테이 프로그램으로는 단시간 사찰 체험 프로그램부터 1박 2일 동안 사찰 생활을 체험할 수 있는 템플스테이, 2박 3일간 진행되는 수행형 템플스테이 및 휴식형 템플스테이도 있다. 또 방학에만 진행되는 학생 대상 템플스테이(어린이 산사체험, 청소년

산사체험)와 9박 10일이나 되는 기간을 원어민과 함께 하는 어린이 영어 템플스테이까지 있다.

직지사의 주요 문화재로는 석조약사여래좌상(보물, 1963년 지정)과 대웅전 앞 삼층석탑(보물, 1976년 지정), 비로전 앞 삼층석탑(보물, 1976년 지정), 청풍료 앞 삼층석탑(보물, 1993년 지정)과 대웅전 삼존불탱화(보물, 1980년 지정) 및 괘불도(보물, 2019년 지정), 석조나한좌상(경상북도 유형문화재, 1997년 지정)이 있다. 이 가운데 석조약사여래좌상은 통일신라시대의 조성 양식을 반영하는 불상으로서 마멸이 심하지만, 전체적인 윤곽은 광배와 함께 부드러움을 간직하고 있다. 현재는 성보박물관에 모셔서 상시 전시하고 있다. 부속 암자로는 운수암과 백련암이 있고 현재 직지사의 말사는 62개이다.

[출처] 한국학중앙연구원 - 향토문화전자대전

1,600년여 세월의 아름다움을 간직한 직지사는 정말 우리가 지켜야 할 소중한 가치라고 생각한다.

내가 살고 싶은 방향이고
내가 원하는 여행이다. 그것이면 충분하다.

내가 사는 모든 것은 나로부터 시작된다. 여행도 내가 주인공이자 안내자이다. 그것이 전부이고 그것이면 충분하다.

먼저 여행을 보자. 여행은 목적지에 도착하는 것이 목표다. 또 미리 조사했던 여행지들을 즐기는 것이기도 하다. 그뿐 아니라 여행을 계획하는 순간의 설렘부터 출발 전 잠 못 이루는 밤, 출발 당일의 흥분, 도착지에서 느끼는 행복과 아름다움, 여행을 마치고 돌아올 때의 뿌듯함, 그리고 다녀온 날부터 사진을 보며 추억하는 순간까지 모두 행복한 여행의 일부다.

우리가 살아가는 삶의 여행도 마찬가지다. 무조건 이기고 성공하는 목표에 도달하는 것만 중요한 것이 아니다. 그 목표를 얻기 위해 어떤 노력과 과정을 거쳤는지도 중요하다. “1 퍼센트의 가능성, 그것이 나의 길이다.” 미국의 세계적인 성공학 연구자 나폴레온 힐의 명언이다. 이것이 내 삶의 여행을 더 의미 있게 해준다. 다른 여행처럼 이 삶이라는 여행도 언젠가 끝이 있다. 과연 만족할 수 있는 여행이었는지가 핵심이다.

여행처럼 삶의 여정에도 많은 과정을 거친다. 태어나서 죽을 때까지의 시간으로, 출생과 죽음을 피할 수 없듯이 삶의 중간에서 피할 수 없는 여정도 반드시 거치기 마련이다. 그럼에도 불구하고 지금까지 내가 어떤 모습으로 살았든, 어느 위치에 있든, 과거가 어땠든, 앞으로 남은 여정은 내가 선택하는 대로 달라질 수 있다. 180도 달라질 수 있다. 어떻게 하면 내 삶이 좋은 여행으로 마무리될 수 있겠는가?

마지막 한 시간 동안
내가 할 수 있는 단 하나의 일.
내게 남은 삶이 한 시간뿐이라면
내가 할 수 있는 단 하나의 일을 할 겁니다.
바로 글을 쓰는 것입니다.
기껏해야 한 시간.
그것이 철학적인 글인지 혹은 다른 종류의 글인지,
시인지 묻지 않는 시간.
인생에서 가장 자유로운
그 시간에 나는 글을 쓰겠습니다.
- 로제 폴 드루아의 《내게 남은 삶이 한 시간뿐이라면》 중에서 -

이 시의 내용처럼 우리는 여행 중이다. 여행은 이 땅에서 우리의 시간이 끝나는 그 날까지 계속될 것이다. 과연 어떤 여정이 될까? 이 질문에 대한 답은 당신 마음속에 있다. 당신은 과거를 바꿀 수 없지만, 삶이 지속되는 한 희망은 있다. 키케로의 명언처럼 "미래는 바꿀 수 있다."

하루에 3시간씩 7년을 걸으면 지구를 한 바퀴 돌 수 있다고 한다.
사무엘 존슨 명언처럼 "이제 여행을 새롭게 시작해 보자!"

한 번도 가본 적 없는 곳으로 여행을 간다고 상상해 보자. 어느 순간 우리는 갈림길을 만날 것이다. 어느 길이든 하나를 선택한다면 '1퍼센트의 가능성, 그것이 나의 길이다.'라는 생각으로 깔깔깔 웃으며 만족할 수 있는 여행을 만들어 보자.

LOS ANGELES
TOKYO
NEW YORK
SÃO PAOLO
LONDON
PARIS
FRANKFURT
ROME
DELHI
MOSCOW
TORONTO

김기덕

teduskim@nate.com

글쓰기, 책쓰기, 인문학강사, 여행작가
한국지식문화원 대표강사
한국출판지도사협회 부회장 및 파주지부장
KCN뉴스 취재부장
북두드림연구소 소장 및 오픈톡방 방장

저서
<책에서 찾은 나의 꿈 나의 인생>
<나를 살린 치유 글쓰기>
<60대도 쉽게 쓰는 인생반전 책쓰기>
<인문학 강의>
<삶을 변화시키는 작지만 위대한 책쓰기> 외

"여행은 삶의 한 부분이며,
인생은 그 자체가
하나의 거대한 여행이다."
- 벤자민 디즈레일리 -

인생! 그 자체가 여행이다.

인생,
그 자체가 여행이다.

여행하면 떠오르는 단어는 '설렘'이라는 낯설고 흥분된 기분 좋은 감정이다. 낯선 곳으로의 출발은 많은 호기심과 기대감을 가득 품게 한다. 나무위키 백과사전에 따른 정의를 빌리면 '여행이란 일이나 유람 등을 위해 일상생활에서 벗어나 타국이나 또는 다른 지역으로 떠나는 일을 말한다.'고 되어 있다. 여행은 일상생활을 벗어나서 어떤 곳으로 떠나는 일이라고 되어 있지만 나는 단순히 그렇게만 생각하진 않는다. 여행하기 전에 낯익은 곳을 벗어나는 것뿐만 아니라, 새로운 것을 상상하고 느낄 수 있다면 여행의 의미를 확장해서 음미해 볼 필요가 있다.

그런 의미에서 생각의 전환만으로도 우리는 시간 여행을 떠날 수 있다. "진정한 여행이란 새로운 풍경을 보는 것이 아니라 새로운 눈을 가지는 것이다."라고 〈잃어버린 시간을 찾아서〉에서 마르셀 프루스트의 말처럼, 생각의 방향만 바꿔도 새로운 시야를 넓힐 수 있게 된다. 그래서 일반적으로 말하는 여행이라는 개념을 어떤 지역으로 떠나는 것에 국한 시키려 하지 않는다.

비록 국내의 다른 장소나 해외의 어떤 나라를 가지 않더라도 상상 속에서 풍경을 그릴 수 있고, 보고 듣고 느낄 수 있다면 이 또한 여행이라고 할 수 있지 않겠는가? 그래서 사람이 살아가는 것 자체가 여행이라고 말하고 싶다. 태어나서 죽는 날까지 한 지역을 벗어나지 않는 사람이라 하더라도 마음속에서 무언가를 그리고 글로 표현할 수만 있다면 이 또한 여행이라고 할 수 있을 것이다.

"여행은 삶의 한 부분이며, 인생은 그 자체가 하나의 거대한 여행이다." 벤자민 디즈레일리(Benjamin Disraeli)의 말에서도 알 수 있듯이 무수히 많은 사람이 여행에 대해 명언을 하였다. 그중에서 위 말이 가장 적합하다고 생각하게 된다. 왜냐하면 '인생길이 여행길'이라는 어느 시인의 문구가 아니더라도 우리는 매일매일 살아가는 삶 자체가 지구별에서의 여행인 것이다.

우리는 아버지의 정자와 어머니의 난자 결합으로 태어나 어머니 자궁 속에 10개월을 있다가 이 지구라는 세상에 여행을 온 것이다. 이러한 형이상학적이고 추상적인 말은 독자로 하여금 여행의 개념을 다시 생각하게 할 것이다. 그리고 이러한 여행에서 빼놓을 수 없는 사실이 있다. 우리가 매일 겪는 일들이 다 다르고 새로운 경험과 새로운 것들을 접하게 되는데 이때 기록해 놓지 않으면 아무런 소용이 없다는 사실이다. 우리의 생각이나 기억은 기록해 놓지 않으면 연기처럼 사라져버리기 때문이다. 따라서 기록은 거창한 글을 쓰라는 의미가 아니다. 메모라도 해 놓으면 그 실마리를 찾아

언제든 떠올릴 수 있고 글로 표현할 수 있다. 그러니 일상에서의 생활에서 메모하는 습관은 정말 중요한 일이다. 인생이라는 여행길에서 여행 글을 쓸 수 있게 해주는 소재가 된다. 우리는 모두 인생이라는 여행에서 각자의 행복과 추억을 쌓고 기록하며 역사를 만들어가는 것이다.

여행,
그 즐겁고 행복한 추억

1) 수학여행

고2 때 5박 6일로 수학여행을 경주로 갔다. 나는 성격상으로도 그렇지만 내성적이고 착한 품성을 갖고 있어서 짓궂게 놀지를 못했다. 학교와 집을 오가며 시계추 불알처럼 생활이 단순했다. 지금도 마찬가지지만 우리나라는 자원이라곤 인적자원을 빼고는 천연자원은 충분하지 못하다. 그러다 보니 대학 가는 것이 초등학교 들어가면서부터 염두에 두어야 하는 일이었다. 따라서 놀이나 유흥에 관심을 둘 수 없었고, 그래서 더욱 익숙지 않은 게 사실이었다.

특히 중·고등학교에서는 어느 집단이든 짓궂은 친구들이 있게 마련이다. 수학여행 첫날밤의 일이다. 짓궂은 반 친구들 몇 명이 저녁때 작당을 하고 사건을 꾸몄다. 나를 비롯한 몇몇 친구는 공식 일정이 끝난 후 잠을 자고 있었다.

지금이나 그때나 장난이 짓궂은 친구들은 이렇게 사람들이 모이면, 조용히 넘어가는 꼴을 못 본다. 좋은 일은 차치하고 나쁜 일도 같이 엮어서 서로 동질감을 확인하려고 하는 걸까? 나는 수학여행의 낯선 환경과 기대감에 잠을 못 이루고 뒤척였다. 그래서 눈을 감고 자는 척했다. 짓궂은 친구들은 성냥불로 자는 친구의 다리털을 태우는 것이었다. 그것도 모르고 친구는 자고 있었다.

다행히 내 다리털까지 불태우는 불상사는 발생하지 않았다. 그나마 이불이라도 다리에 덮었으니까 망정이지 이불 밖으로 나와 있는 다리는 짓궂은 친구들의 희생양이 되어야 했다. 지금 생각하면 정말 아찔하고 끔찍한 일이지만 이 또한 추억의 한 장면을 장식하고 있다.

기차로 서너 시간을 가면서 기타 치며 노래하고 박수치는 것은 수학여행의 즐거움을 배가시켰다. 그리고 수학여행의 마지막 밤에는 밴드부의 화려한 음악 쇼가 나를 놀라고 흥분되게 했다.

공부하느라 음악을 그다지 접하지 않아서였을까? 전자 밴드의 화려한 조명, 밴드부 친구들의 음악 공연은 황홀한 새로운 세상을 볼 수 있는 계기가 되었다. 이때 얼마나 친구들이 멋졌는지 한때 밴드부에 가입해서 악기 한번 불어 볼까도 생각했다. 하지만 이 또한 대학 진학이 최우선인 그때의 상황에서는 언감생심이었다.

2) 가족여행

누구나 가족여행을 꿈꾸는 것은 흔한 일이다. 그것도 세계여행이 아닌 국내 여행이라면 어느 가정이든 있을 것이다. 혹시라도 없다면 지금이라도 부담 없이 떠나면 좋겠다. 생활이 바쁘고 가족들도 자녀들이 성장해서 성인이 되면 시간 내기가 사실상 어려움이 많다.

차를 처음 운전하기 시작한 것도 회사에 입사하고 돈을 벌면서부터였다. 89년 대학 졸업하고 처음 입사한 회사에서 틈틈이 시간을 내어 미리 운전면허증을 따 놓았다. 입사 2년 차부터는 결혼 후 직장을 출근해야 하는 아내를 위해서 자동차를 구입했다. 그 후 10년이 지나 IMF 시기를 지나면서 회사를 퇴직하게 되었고 부동산업을 전전하면서 자동차를 바꿀 일이 생겼다. 그래서 선택한 두 번째 차로 스포츠 레저용 차(7인승)를 구입했다. 자녀들이 아직 10살 미만이었고 앞으로 가족들을 데리고 여행 갈 일이 많아질 것을 고려하여 선택한 것이었다. 하지만 이러저러한 이유로 자녀들이 성인이 되기까지 가족 여행다운 여행을 추진하지 못했고 실현하지 못했다.

그러던 차에 막내아들이 군대를 입대할 때인 2019년에 입대 전 전국 일주 가족여행을 기획했다. 그때가 2019년 10월쯤이었다. 출발은 금요일 저녁 9시쯤으로 2박 3일 계획이었다. 딸이 직장에서 퇴근해야 해서 저녁을 먹고 출발했다. 천안에서 1박을 하기로 해서 휴게소를 잠시 들르는 것을 제외하고는 이내 세 시간가량 쉬지 않고 달려 펜션에 도착하니 자정쯤 되었다. 피곤할 만도 한데, 첫 번째 가족여행이라서 그런지 설렘과 기대감으로 운전을 쉬지 않고 달릴 수 있었다. 다음날 점심으로 칼국수를 먹으러 노포집에 갔으나 기다리는 사람의 줄이 너무 길어서 포기하고 대하를 먹으러 갔다. 충남 홍성에 있는 '선미회수산센터'였다. 제철에 먹는 대하 소금구이는 맛과 풍미가 입맛을 돋우기에 충분했다.

점심 식사하고 가는 길에 서해안 바다를 구경하면서 멋진 추억의 사진도 찍었다. 다음은 전주시 완산구에 위치한 전동성당을 둘러보았다. 전동성당의 유래를 살펴보니 복자 윤지충 바이오와 복자 권상현 야고보가 1791년 12월 8일 참수되어 순교한 곳으로 한국 최초의 천주교 첫 순교 터였다. 이후에도 여러 명이 이 성당에서 순교했다. 이곳은 대한민국 천주교 순교의 역사적인 기념 터이자 뿌리 깊은 신앙의 성지였다.

이 현장을 보면서 자신의 믿음이 개인은 물론 사회도 바꿀 수 있다는 사실을 깨닫는 계기가 되었다. 비록 이들은 목숨은 버렸지만 대한민국의 천주교가 자리 잡을 수 있는 기틀을 마련했다고 볼 수 있다. 이런 분들이 있음에 사람은 죽어서 이름을 후세에 영원히 남기는 것이 아닐까 하는 생각도 하게 된다. 그분들의 고귀한 순교 정신에 옷깃을 여밀 따름이다.

마지막 날에는 경남 사천에 있는 아르떼리조트에 머물며, 저녁은 비비큐 치킨을 먹었고 오랜만에 라면을 곁들이니 맛이 일품이었다. 다음 날, 아침 오전 11시까지 진주에 있는 공군 기본훈련단 근처에 가서 국밥 먹고 입대하는 것을 보고 나머지 가족들은 서울로 올라왔다. 이렇게 해서 2박 3일간의 전국가족여행은 마무리되었다. 들른 장소로는 천안-홍성-전주-사천-진주-서울 코스였다. 그래도 가족들에게 잊지 못할 첫 전국가족여행이라는 추억을 안길 수 있어서 천만다행이었다.

〈홍천 서해 바닷가〉

3) 환갑 여행

우리가 여행을 계획할 때는 특별한 날인 경우가 태반이다. 이번 여행은 그런 의미에서 인생에서 누구나 맞이하게 되는 과정 중 하나이다. 환갑은 세는 나이로는 61세, 만 나이로는 60세로 생일을 축하하는 한국의 전통문화로 회갑이라고도 한다. 위키 백과에 따르면 간지는 60년마다 같은 이름을 가진 회가 돌아오므로 회갑은 60이 다시 돌아왔다는 의미이다. 근대 이전 한국인의 평균 수명은 짧았기 때문에 환갑을 맞이하는 것은 장수를 의미하는 것으로 중요하게 여겼다.

오늘날에는 평균 수명이 늘어나 환갑에 대한 의미도 달라졌다. 예전에는 환갑을 노인의 기준점으로 보았으나 2011년도 조사에서 노인이라 여겨지는 나이는 66.7세였다. 현재에는 평균 수명의 연장으로 예전에 하던 환갑잔치나 심지어 칠순 고희 잔치도 많이 하지 않는다. 이때 대부분 국내나 국외로 여행을 떠나는 것이 관례가 되어가고 있다.

회갑연에서는 자손들과 일가, 친척, 동네 사람들이 함께 모여 장수를 축하해 준다. 보험개발원 자료에 의하면 제10차 경영생명표상 기대수명은 2024년 현재, 많게는 남자는 86.3세 여자는 90.7세로 평균 수명이 의학 기술의 발달로 증가했음을 알 수 있다. 이러한 추세라면 환갑의 의미는 인생의 종착점을 달리는 열차가 아니라 인생 2막 후반전의 출발선인 셈이 된다. 어쨌든 간에 무언가에 의미를 부여하는 것은 매우 중요한 일이다.

나는 여러 친구 모임 중에서도 초등학교 시골 동네 동창 모임에 10년 전부터 가입하여 함께 하고 있다. 연중 4회의 만남을 가지는데 그중 2번은 부부 동반 모임이다. 환갑 여행은 5년 전부터 기획되어 회비를 적립해 왔던 것으로 원래 여행 목적지는 해외였다. 하지만 2022년 환갑을 맞이하는 해에 국내뿐만 아니라 해외에서도 어느 나라 할 것 없이 코로나19가 극성을 부리던 때였던 만큼 여행이 제한된 나라가 많았다. 그리하여 부득불 국내 여행지를 물색하게 되었고 제주도가 선택되었다. 나는 처가가 제주도라 해외를 고집했지만, 여건상 어쩔 수 없는 선택이었다.

2022년 그해 마지막 12월 중순경 회원들 중에서 부부 동반 10쌍과

싱글 2명을 포함하여 22명이 함께 제주도로 회갑 여행을 떠났다. 첫날부터 폭설이 내려 공항에는 비행기 이착륙이 제한될 정도였으나 다행히도 우리가 탑승하는 비행기(에어부산)는 괜찮았다. 제주도 겨울 바다를 구경하며 12월 15일 제주 국제공항에 도착 후 관광버스에 승차해서 예약된 서귀포시에 있는 제주통나무휴양펜션에 여정을 풀었다. 그날 저녁에는 환갑에 대한 자체 행사를 진행했고 저녁 식사에 바베큐 파티를 했다. 각 회원의 인사말과 노래 경연 그리고 춤까지 추면서 시상식도 거행했다. 밤 10시경에 다음날 일정을 고려하여 행사를 종료하고 자유시간을 가졌다.

따듯한 남쪽 섬 제주도지만 12월의 날씨는 제법 겨울 날씨답게 추웠다. 12월 16일 2일 차에는 아침 8시경에 식사를 마치고 관광버스에 올라 관광을 하였다. 이때 둘러본 코스로는 절물자연휴양림, 사려니숲길, 에코랜드 곶자왈 생태환경 등이었다. 12월 17일 3일 차에는 저녁으로 회 전문 식당에서 푸짐하게 차려진 바다의 해산물을 마음껏 먹는 시간을 가졌고, 12월 18일에는 마지막 날로 다른 친구들은 관광지를 한 군데 더 둘러보고 제주공항으로 이동했다.

나의 경우는 처가가 제주시에 있는 관계로 회원들의 양해를 구해서 아침에 아내와 처가에 들러 장인, 장모님께 문안 인사를 드렸다. 처남, 처제들이 찾아와 조카들과 함께 점심을 먹으면서 회포를 풀었다. 짧은 오전 만남을 뒤로하고 제주공항을 향해 출발하여 일행과 합류했다. 이렇게 해서 생애 첫 3박 4일간의 환갑 여행을 마쳤다. 우리는 인생 100세 시대에 환갑이 인생의 종착점이 아니라 출발선임을 깨닫고 건강하고 행복한 인생 2막의 새 출발을 다짐했다.

〈제주도 환갑 여행〉

어른 소풍? 들어봤니?

TRAVEL

소풍이라는 것을 처음 경험한 것은 초등학교 들어가서였다. 나의 고향마을 파주 고령에 초등학교 인근으로 유명한 명승고적이 두 군데나 가까이에 있다. 소령원과 보광사로 늘 소풍 때가 되면 가게 되는 단골 장소였다. 소령원은 파주시 광탄면 영장리에 있는 조선 시대 21대 영조 대왕의 어머니인 숙빈최씨의 무덤이 있는 곳이다. 대한민국 사적 제358호 소령원으로 1991년에 지정되었다가 지금은 파주 소령원으로 명칭이 변경되었다. 소령원은 넓은 잔디 언덕으로 되어 있어 뛰어놀기 정말 좋았다. 넘어져도 다치지 않을 정도로 잔디가 무성하고 잘 관리되어 있다.

다음은 보광사로 파주시 고령산 기슭에 있는 대한 불교 조계종 소속 사찰이다. 신라 진성여왕 8년(894년)에 도선국사가 창건했다고 전해진다. 대웅보전 바로 앞에 숙빈최씨의 영정과 신위를 모신 어실각이 있다. 그 옆엔 영조가 심었다고 전해지는 향나무가 있다. 보광사 사찰은 꽤 넓어서 소풍 때 보물을 숨기는 장소가 아주 많았다. 그렇게 보물을 찾아다니면서 사찰을 구경하며 즐겁게 놀았던 기억이 아직도 생생하다. 맑은 공기와 깨끗한 시냇물에 몸을 맡기며 뛰놀던 기억은 죽는 날까지 잊지 못할 어린 시절의 추억으로 영원히 함께 할 것이다.

가장 최근에 여행한 것의 추억을 말하자면 '어른 소풍'을 빼놓을 수 없다. 단 하루 동안의 소풍이지만 생애 잊지 못할 어른 된 이후의 소풍이라 의미가 남다르다. 그런데 나이 60이 넘어서 가는 소풍이라니? 어른 소풍에 온 맴버들은 나이가 30대부터 60대까지 다양했다. 장소는 서울 망원동 한강 공원이었다. 이름하여 '내 생애 봄날 한강 어른 소풍'이었다. 우리 구성원들은 숏폼스피치챌린지 멤버들로 한때 MBC에서 아나운서로 명성을 날리던 방현주 대표님과 숏폼을 배우며 함께 한 멤버들인 것이다. 어른 소풍이라는 말에서 풍기는 뉘앙스는 어린 시절 소풍의 추억을 다시 소환하게 하는 데 부족함이 없었다.

연령과 성에서 다양하게 구성된 멤버들이었지만 마음은 동심 속 어린이들처럼 마냥 즐거울 수밖에 없었다. 어른들답게 각자 스스로의 역할을 솔선수범하면서 임했다. 자기소개 시간에는 자기들만의 장점을 부각시키며 존재감을 과시했고, 서로 함께 웃으며 응원했다. 무엇보다도 어른 소풍의 다른 점은 각자가 협찬 내지는 증정 형식으로 선물을 준비하다 보니 선물이 참으로 많았다는 점이다. 그리고 늘 행복하고 즐거움이 배가 되는 점심시간에는 망원시장에서 공수해 온 떡볶이와 김밥에 닭강정까지 배불리 먹었다.

오후의 하이라이트는 역시 보물찾기였다. 나는 남들보다 조금 빨리 출발해서인지 보물을 쉽게 찾아 주울 수 있었다. 뒤늦게 온 친구들은 하나도 못 찾은 사람도 있어서 나는 두 사람에게 내 보물찾기 티켓 종이를 건넬 수 있었다. 아마도 어린 시절 이렇게 보물찾기를 많이 발견했다면 내가 다 가지려고 했겠지만, 어른이 된 이후의 어른 소풍에서는 남을 배려하는 마음이 드는 건 인지상정일 것이다. 나눠주고 받는 보물찾기 티켓에서도 서로 함께 행복을 나눌 수 있어서 뿌듯했다. 오후에는 메인 행사로 수건 돌리기와 신문 접기, 코끼리코 이어달리기 등 어릴 때보다 더 업그레이드된 어른 소풍의 새로운 장을 마련한 것 같았다. 또한 새롭게 생긴 마니또 선물 챙기기는 어른 소품의 백미를 장식했다.

마니또는 나무위키 자료에 의하면 상대편이 모르게 도와주고 편지를 보내는 놀이의 일종으로 1990년대 크게 유행하면서 지금까지 이어져 오고 있다. 스페인어로 애인이라는 뜻으로 학생들 사이에 애인같이 상대방을 생각하고 아껴주는 친구를 의미한다. 땅콩 껍질 속의 땅콩 두 알로 비유되는 '땅콩친구' 라고도 불리기도 한다.

이번 한강 어른 소풍에는 모두 22명이 참가했다. 처음에는 챌린지 수행을 완수 못 해서 신청하지 않았다. 하지만 뒤늦게 챌린지 멤버들의 열정 넘치는 행동을 보면서 젊은 사람들의 열정을 본받고 싶었다. 하마터면 마니또가 없을 수도 있었으나 다행히도 뒤늦게 합류한 마니또 친구가 있어서 너무 즐겁고 행복했다. 거의 공개적으로 마니또가 정해진 것으로 설레는 마음을 주체할 수 없었다. 마니또 행사 시간에 혹시나 다른 사람일까? 하는 의구심도 잠시 품었지만 역시 마니또 예상은 적중했다. 서로에게 이만 원 상당의 선물을 증정하기로 되어 있었다.

마니또 친구는 내게 견과류 선물 세트를 주었고, 나는 내가 아끼고 정성으로 쓴 〈책에서 찾은 나의 꿈 나의 인생〉 책을 선물했다. 나는 아침마다 건강식으로 과일 야채식에 견과류를 곁들여 먹고 있다. 따라서 내게는 꼭 필요한 너무나 적합한 선물이었다. 마니또 친구도 나름 책을 좋아해서 다행이었다. 책을 읽고 나처럼 인생 2막에 인생 반전의 계기가 되기를 기원했다.

〈한강 어른 소풍〉

TICKET
TRAVEL
TICKET

김미희

hhone0301@naver.com

여행작가, 브레인자가치유센터 대표
KBS스포츠예술과학원 최고위강사
한국출판지도사협회 부회장
한국지식문화원 대표강사
위아평생교육원 전문교수
인공지능융합학회 이사
코리안투데이 인천남부지부장
아로마, 발효테라피 전문강사
KBS 실버융합교육 전문가, 통합치매예방지도사
부모교육 전문가, 웰다잉지도사
KAC 코치, 전) 초등학교장
<초등 엄마 수업> 외 9권 작가

"여행은 자신을 발견하는
가장 좋은 방법이다."
- 구스타브 플로베르 -

인천시티투어 '레트로노선'으로 떠나는 시간 여행

알고 보면 쉬운 인천시티투어

퇴직하고 여행작가로 사니, 낮에 여유로운 일상을 즐긴다. 바깥 풍경도 예사롭지 않게 느껴진다. 어느 날 집 근처에서 인천시티투어 버스 정류장을 보았다. 평소 눈여겨보지 않았는데 멋진 이층 버스를 타기 위해 줄을 서 있는 사람들을 보니 호기심이 생겼다. 그 버스는 바로 인천시티투어 버스였다. 안내소에 들어가니 다양한 노선이 보였다. 가격도 착했다. 당장 안내 책자를 챙겼다. 안내 책자를 보니 인천시티투어의 매력이 한눈에 들어왔다.

나는 초등학교 4학년 때 인천으로 이사를 왔다. 그래서 다른 지역도 좋지만, 여행작가로서 제2의 고향인 인천을 인천시티투어와 함께 여행하기로 마음먹었다. "여행은 자신을 발견하는 가장 좋은 방법이다."라는 구스타브 플로베르의 말처럼, 이제 나의 인생 2막은 여행과 함께 나를 발견해 나갈 것이다.

인천시티투어를 하기 위해서는 팜플렛을 보는 것도 좋지만 홈페이지를 활용하면 편리하다. 인천시티투어에는 '순환형노선'과 '테마형노선'이 있다. 우선 첫 번째 여행지로 어렸을 때의 어렸을 적 추억이 숨 쉬는 '레트로노선'을 택했다. 내가 졸업한 초, 중학교가 '레트로노선'에 있다. 또한 교사로 첫 발령 받고 결혼하기 전까지 나의 삶의 터전이 바로 '레트로노선'에 있기 때문이었다.

1. 인천시티투어 홈페이지 활용법

노선 및 운행 정보 확인

홈페이지(https://citytour.ito.or.kr) 메인 화면에서 '노선안내'를 클릭하면 순환형 노선과 테마형 노선의 상세 정보를 확인할 수 있다. 노선별 소요 시간, 주요 관광지, 운행 시간표 등의 정보를 제공하고 있다.

예약 및 결제

홈페이지 상단의 '예약하기'를 클릭하면 원하는 날짜와 노선을 선택하여 예약할 수 있다. 예약 시 성인/어린이/경로/단체 등 다양한 요금 옵션을 선택할 수 있으며, 당일 현장에서의 결제도 가능하다. 주의할 사항은 연중 운영하지만, 월·화, 설·추석 당일은 휴무인 점을 주의한다.

주말과 공휴일에는 이용객이 많아 일부 추가 운행이 이루어지기도 한다. 평균 운행 간격은 약 30분으로, 각 정류장에서 대기 시간이 길지 않다. 운행 시작과 마지막 운행 시간을 잘 확인해 두는 것이 중요하다. 특히, 성수기에는 운행 시간표가 변경될 수 있으므로 사전 확인이 필요하다.

이벤트 및 공지사항 확인

홈페이지 하단의 '공지사항' 메뉴에서 인천시티투어 관련 이벤트, 운행 변경 사항 등의 최신 정보를 확인할 수 있다.

모바일 앱 활용

인천시티투어 모바일 앱으로 실시간 운행 정보, 예약 및 결제, 관광지 정보 등을 손쉽게 확인할 수 있다.

SNS 채널 팔로우

인천시티투어 공식 SNS 채널을 팔로우하면 다양한 여행 정보와 이벤트 소식을 실시간으로 받아볼 수 있다.

2. 노선

1) 순환형 노선

- **레트로노선**: 연중(월·화, 설·추석 당일 휴무), 1시간30분 (10:30~16:30)

인천의 역사와 문화가 깃든 장소들을 둘러보는 노선이다. 과거와 현재를 잇는 특별한 노선으로, 관광객들에게 많은 사랑을 받고 있다. 전체 노선을 이용하는 데 걸리는 시간은 약 2시간 정도다. '레트로노선'은 신포국제시장, 화평동 냉면 골목, 차이나타운 등을 포함한 주요 명소를 연결하며, 각 정류장에서 하차하여 자유롭게 관광할 수 있다. 경로는 순환식으로 이루어져 있어 어느 정류장에서든 다시 탑승할 수 있다.

인천종합관광안내소(송도센트럴파크) → 신포국제시장(답동성당) → 화평동 냉면거리(자유공원) → 인천역(차이나타운) → 상상플랫폼 → 아트플랫폼(하버파크호텔) → 송도컨벤시아 → 현대프리미엄아울렛 송도점 → 인천종합관광안내소(센트럴파크역)

- **바다노선:** 연중(월·화, 설·추석 당일 휴무), 2시간35분 (10:00~16:00)

인천의 대표적인 해안 관광지들을 순환하는 노선이다. 버스 안에서 탁 트인 아름다운 해안선과 바다 경치뿐만 아니라 리조트와 해수욕장을 즐길 수 있다. 어린이부터 어른까지 다양한 연령대의 가족 구성원들이 함께 즐길 수 있는 관광지들이 많다. 각 정류장에서 하차하여 자유롭게 관광할 수 있다. 경로는 순환식으로 이루어져 있어 어느 정류장에서든 시간에 맞춰 다시 탑승할 수 있다.

인천종합관광안내소(송도센트럴파크역) → 공항여객터미널(T2) → 인스파이어 엔터테인먼트 리조트 → 을왕리해수욕장 → 무의도 입구 → 파라다이스시티 → G타워(IFEZ홍보관) → 인천종합관광안내소(센트럴파크역)

- **통합권: 인천 '레트로노선'과 '바다노선'을 모두 이용할 수 있는 올인원 통합권**

2) 테마형 노선

선재영흥투어, 무의도투어, 석모도투어, 교동도투어, 강화역사투어, 강화힐링투어, 소래포구투어, 월미도투어 등 다양한 테마 여행 코스를 운영하고 있다. 노선마다 특색이 있어 다양한 볼거리와 먹거리를 제공한다.

- **선재영흥투어:** 아름다운 섬 경관과 해안 절경

- **무의도투어:** 인천의 대표적인 무인도 자연 생태계를 체험

- **석모도투어:** 석모도의 역사 유적지와 아름다운 해안선

- **교동도투어:** 교동도의 전통 마을과 역사 문화재

- **강화역사투어:** 강화도의 주요 역사 유적지인 강화산성, 광성보, 문수산성 등

- **강화힐링투어:** 강화도의 아름다운 자연 경관과 힐링 명소

- **소래포구투어:** 소래포구의 활기찬 시장 문화와 해산물 거래를 직접 체험

- **월미도투어:** 월미도의 바다열차와 유적지

'레트로노선'으로 떠나는 인천의 근대·현대 역사와 문화 탐험

인천은 한국 근대 역사의 중요한 중심지다. 그 역사와 문화를 한눈에 볼 수 있는 '레트로노선' 여행은 시간 여행을 떠나는 듯한 특별한 경험을 제공한다. 어려서 자랐던 곳을 여행한다는 마음에 설렘으로 가득했다. 기다리고 있는 버스에 앉아 있으니, 마치 시간 여행을 떠나는 기분이었다. 버스는 깔끔하게 정비되어 있고, 외국인도 편리하게 이용하도록 여러 언어로 방송이 나왔다. 전면에는 각 여행지를 표시하는 큰 화면이 보였다.

첫 번째 여행지, 신포국제시장과 답동성당

인천 '레트로노선'의 첫 번째 여행지는 신포국제시장이다. 첫 번째 정류장은 시장 반대편인 답동성당 쪽에서 내린다. 그래서 먼저 답동성당을 둘러보고, 유명한 신포지하상가를 통해 건너가면 된다. 신포국제시장은 한국 전통 시장의 정취와 함께 다양한 글로벌 음식을 즐길 수 있는 곳이다. 시장 골목마다 풍기는 고소한 냄새는 방문객들의 발길을 멈추게 한다. 배고픈 학창 시절, 신포시장에 가서 쫄면과 푸짐한 칼국수를 즐겨 먹었다. 지금은 닭강정 외에도 먹거리가 다양하다. 여기저기 아기자기한 소품과 기념품을 파는 가게들이 많아 둘러보는 재미가 있다.

〈신포시장 입구〉

바로 길 건너에는 답동성당이 있다. 어렸을 때 답동성당의 계단을 힘들게 올랐다. 그런데 지금은 경사로 공사가 되어 있어 편하게 올라갈 수 있다. 인천 답동성당은 1898년에 건립되어 한국 근대 건축의 아름다움을 대표하는 역사적인 건물이다. 고딕 양식으로 지어진 이 성당은 한국에서 가톨릭 신앙이 퍼져나가는 데 중요한 역할을 했다. 답동성당은 한국 전쟁 때도 파괴되지 않고 보존되어 오늘날에도 많은 신자와 관광객들이 찾는 성지중 하나다. 아름다운 스테인드글라스와 정교한 조각이 인상적이다. 이곳은 미사 외에도 결혼식, 세례식 등 다양한 종교 행사가 열리는 곳으로, 한국의 가톨릭 역사와 문화를 체험할 수 있는 중요한 장소다.

〈답동성당〉

두 번째 여행지, 화평동 냉면 골목

다음으로 화평동 냉면 골목으로 이동했다. 화평동 냉면을 세숫대야 냉면이라고도 불렀다. 그만큼 양이 많다. 이곳은 시원한 냉면 한 그릇으로 더위를 날려버릴 수 있는 최고의 장소다. 다양한 냉면 집들이 모여 있어, 각기 다른 맛을 비교해보는 재미도 쏠쏠하다. 특히, 화평동 냉면은 쫄깃한 면발과 시원한 육수가 일품이다. 매장에서 직접 뽑은 면과 신선한 재료로 만든 육수는 여름철 더위를 식혀주는 최고의 음식이다. 냉면 외에도 다양한 한국 전통 음식을 맛볼 수 있는 음식점들이 많이 모여 있어, 식도락 여행을 즐기기에 안성맞춤이다.

세 번째 여행지, 차이나타운과 동화마을

차이나타운은 인천의 또 다른 매력을 보여준다. 한국에서 가장 오래된 차이나타운은 중국 문화를 그대로 옮겨 놓은 듯한 분위기를 자아낸다. 붉은색으로 꾸며진 거리와 중국식 건축물은 이국적인 풍경을 선사한다. 이곳에서는 다양한 중국 음식을 맛볼 수 있다. 특히 자장면의 원조를 찾는 재미도 있다. 마침 점심시간에 도착해서 중국집에서 맛있는 점심을 먹었다. 차이나타운의 거리마다 위치한 작은 찻집과 전통 과자 가게들은 여행의 재미를 더해준다. 또한, 중국 전통 의상을 입고 기념사진을 찍을 수 있는 곳도 있어 특별한 추억을 만들 수 있다.

〈인천 차이나타운 입구〉

차이나타운 옆에는 동화마을이 있다. 송월동 동화마을은 마치 동화 속 세계로 들어온 듯한 느낌이었다. 이 마을은 다채로운 벽화와 조각, 다양한 동화 속 장면들을 재현해 놓았다. '어린 왕자', '피노키오' 등 유명한 동화 속 인물들과 함께 사진을 찍을 수 있는 포토존에서 즐거운 시간을 보냈다. 또한, 각종 상점과 카페가 마을 곳곳에 자리 잡고 있다. 쇼핑과 식사를 즐기면서 동화적인 분위기를 만끽할 수 있다. 송월동 동화마을은 특히 어린이들에게 인기가 많다. 그래서 현장 체험학습 장소로 많이 이용된다. 물론 모든 연령대의 방문객들에게도 즐거움과 만족을 준다.

걷기 힘든 관광객이나 노약자, 아이들을 동반한 가족 단위 방문객은 전동 인력거를 활용하면 좋다. 차이나타운, 동화마을뿐만 아니라 자유공원까지 관람할 수 있다. 운전자가 지역의 역사와 문화를 설명해 주며, 탑승객에게 역사적인 배경, 주변의 볼거리 등에 대해 안내해 준다. 운행 경로나 시간, 요금은 이용 전에 확인한다.

차이나타운과 동화마을에서 다양한 중국 문화와 음식을 거닐면서 맛보는 것만도 최소 1시간 이상 걸렸다. 그래서 차이나타운에서 동화마을을 구경하고 바로 인천역으로 가지 않고, 인천아트플랫폼 방향으로 내려갔다. 가는 길에 개항장 문화지구, 제물포 구락부, 인천 개항박물관, 일본 제일은행 인천지점 건물 등 역사적인 건물들을 보았다. 이 건물들은 인천의 개항기 역사와 문화적 변화를 보여주는 중요한 장소들로, 근대화의 시작과 일제 강점기의 흔적을 엿볼 수 있다.

네 번째 여행지, 상상플랫폼과 인천아트플랫폼

상상플랫폼과 인천아트플랫폼은 인천 중구에 있는 예술과 문화의 중심지다. 이곳은 일제 강점기에 지어진 창고들을 개조하여 현대적인 예술 공간으로 탈바꿈시켰다. 갤러리, 스튜디오, 공연장 등으로 구성되어 있어 다양한 예술 분야의 창작 활동을 지원한다.

인천아트플랫폼은 국내외 예술가들에게 창작의 장을 제공하고 있다. 이곳에서는 정기적으로 전시회, 공연, 영화 상영, 강연 및 워크숍 등이 열린다. 이를 통해 예술가들과 관객이 직접 소통하고 다양한 문화적 경험을 공유할 수 있다.

이 예술 공간은 그 자체로도 독특한 건축미를 감상할 수 있는 곳으로, 역사적인 외관을 현대적인 디자인과 접목해 과거와 현재가 공존하는 아름다움을 표현하고 있다. 인천아트플랫폼은 인천만의 독특한 문화적 정체성을 반영하며, 방문객들에게 영감을 주는 예술의 공간으로 사랑받고 있다.

다섯 번째 여행지, 송도컨벤시아

송도국제도시에 있는 송도컨벤시아는 글로벌 컨벤션, 전시회, 비즈니스 이벤트를 위한 최고의 장소다. 54,000제곱미터가 넘는 규모로 환경에 미치는 영향을 최소화하도록 설계된 독특한 친환경 건축물이다. 첨단 기술과 다양하고 유연한 공간을 갖춘 이곳은 다양한 대규모 국제 모임을 수용하며 국제 MICE(회의, 인센티브, 컨벤션 및 전시) 산업에서 한국의 위상에 크게 기여하고 있다.

여섯 번째 여행지, 송도 현대프리미엄아울렛

송도 현대프리미엄아울렛은 럭셔리한 쇼핑 경험을 제공하는 주요 쇼핑 명소다. 다양한 브랜드가 입점해 있어 고품질 상품을 대폭 할인된 가격으로 구매할 수 있다. 아울렛은 현대적인 미학과 편리함을 결합한 독특한 건축 스타일로 디자인되었다. 단순한 쇼핑 장소를 넘어선 복합 문화 공간이다. 가족 단위 방문객을 위한 다양한 편의 시설과 엔터테인먼트 요소가 마련되어 있다. 어린이를 위한 놀이 공간, 다양한 맛집과 카페, 그리고 계절마다 열리는 특별 이벤트는 쇼핑의 즐거움을 더해준다. 또한, 넓고 쾌적한 휴식 공간과 주차 시설을 갖추고 있어 방문객들이 편리하게 이용할 수 있다.

마지막 여행지인 송도 현대프리미엄아울렛을 끝으로 처음 출발했던 곳으로 돌아왔다. '레트로노선' 여행은 근대·현대의 역사와 문화를 동시에 체험하는 특별한 경험이었다. 매력적인 관광지에서 느낄 수 있는 복고풍 감성은 잊지 못할 추억이 되었다. 더구나 안내소를 비롯하여 버스 기사님들의 친절이 돋보이는 인천시티투어였다. 인천의 다양한 매력을 만끽하며, 시간 여행을 떠나보자.

'레트로노선' 여행 꿀팁

'레트로노선' 여행을 더욱 즐기기 위한 몇 가지 꿀팁을 소개한다.

사전 계획을 잘 세운다.

각 여행지에 내려서 다음 시티투어버스가 올 때까지 돌아볼 수 있다. 그러므로 사전 준비를 하면 더 즐거운 여행을 할 수 있다. 특히 버스 시간을 확인하여 버스를 놓치는 일이 없도록 사전 계획을 세운다. 물론, 시티투어버스가 가는 대로 내리지 않고 돌아볼 수도 있다.

조용한 시간대에 방문하면 더 여유롭게 관광을 즐길 수 있다.

주중 오전 시간대가 비교적 한산하다. 홈페이지에서 예약한다고 좌석이 정해져 있는 것이 아니다. 줄을 서서 버스에 탑승해야 한다. 주말과 공휴일에는 여행하는 사람이 많지만, 자리는 한정되어있어 버스를 타지 못하는 일이 생길 수 있다. 그러므로 미리 정류장에 도착해서 여유 있게 탑승하길 권한다.

각 정류장 주변의 맛집과 카페를 미리 찾아본다.

막상 버스에서 내리면 우왕좌왕 다니다 시간만 낭비할 수 있다. 꼭 가보고 싶은 곳은 미리 찾아보고 계획을 잘 세워야 한다. 인천시티투어 안내 책자나 앱을 활용하면 편리하다

여행 추억을 남기기 위해 배터리를 충분하게 준비한다.

레트로한 분위기의 사진은 멋진 추억이 된다. 발길 닿는 곳이 모두 추억을 담을 곳이다. 그러다 보니 저절로 카메라에 셔터를 누르게 된다. 사진을 많이 찍어 배터리가 부족해지면 낭패다. 그러므로 보조배터리를 충분하게 준비한다.

여행 전날 날씨를 체크하고 이에 맞는 준비물을 챙긴다.

햇볕이 강한 날에는 모자와 선크림, 우천 시에는 우산이나 방수 재킷을 준비하면 좋다. 또한, 편안한 신발과 복장은 필수다. 걸음을 많이 걸으므로 편안한 차림이 꼭 필요하다. 각 장소에서 제공하는 안내 책자나 브로셔를 챙기는 것도 좋은 방법이다.

'레트로노선'은 도시의 역사와 문화를, '바다노선'은 월미도와 영종도를 중심으로 해안선을 따라 아름다운 경관을 감상할 수 있다. 통합권으로 두 노선을 함께 즐기면 인천의 다채로운 매력을 더욱 깊이 체험할 수 있다. 이처럼 인천의 다양한 매력을 모두 즐기며 잊지 못할 추억을 만들어보길 추천한다.

'레트로노선'으로 근대·현대의 역사와 문화를 동시에 체험하는 시간 여행을 다녀왔다. 어린 시절 다니던 골목길, 학교, 시장이 어린 시절의 추억을 소환했다. 그 시절이 있었기에 지금의 내가 있다. 앞으로 여행 작가로 이 멋진 인천시티투어와 함께 나를 더 발견해 나갈 것이다.

소은순

gold2187@naver.com

한국지식문화원 대표강사
한국출판지도사협회 부회장
한국작가협회 임원 및 지부장
KCN뉴스 기자, 취재부장
행복한책쓰기코치
독서심리상담사
독서모임운영지도사
독서라이프연구소장
여행작가되기 프로그램강사

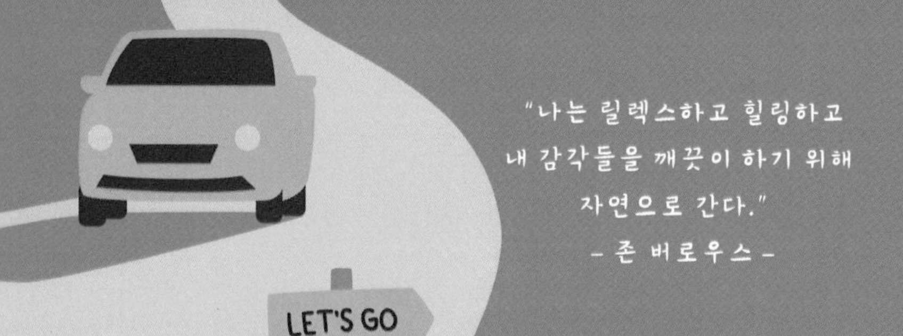

"나는 릴렉스하고 힐링하고
내 감각들을 깨끗이 하기 위해
자연으로 간다."
- 존 버로우스 -

산에 들에 하루 여행

"봄이 오면 산에 들에 진달래 피고…." 이렇게 시작되는 동요가 있다.

어릴 적 부르던 동요는 마음속에 가사와 멜로디가 나이 늙도록 남아 있다. "진달래꽃을 따서 화전을 해 먹는다."라는 이야기는 많이 들어보았을 것이다. 떡도 해 먹고, 술도 담가 먹고, 약으로도 썼다고 한다. 나도 어릴 때 진달래꽃을 따 먹던 생각이 난다. 그래서 지금도 봄에 산에서 진달래꽃을 만나면 하나씩 따 먹어본다. 추억을 따 먹어보는 것이다. 우리나라는 북위 33~43도의 중위도에 자리 잡고 있다. 남북으로 긴 형태의 국토를 가지고 있다. 그래서 북쪽은 춥고 남쪽은 온화한 날씨를 보이며 계절마다 풍계가 바뀌면서 4계절을 뚜렷하게 경험할 수 있는 나라다. 봄, 여름, 가을, 겨울이 반복되며 세월도 함께 간다. 산에 들에 풍경도 달라진다. 산과 들이 내어주는 것들도 참 많다. 그래서 나는 간간이 산에 들에 하루 여행을 간다.

숨 쉬러 가는
하루 여행

TRAVEL

직장에 다닐 때는 늘 바쁜 삶의 연속이었다. 피곤감을 달고 살았다. 규칙적인 출, 퇴근 외에도 집에 오면 설거지, 청소, 빨래, 각종 공과금 정리, 아이들 챙기는 일 등으로 숨 쉴 새가 없다. 때로는 쉬는 날이 직장에서 일하는 것보다 더 많은 일을 해야 할 때도 있다. 그러다 보면 만개한 벚꽃놀이 적정 시기가 순식간에 지나가 버리기도 한다. 활짝 핀 연산홍에 한번 취해보지도 못한 채 지나가 버릴 때도 있다. 봄꽃들이 지고 신록으로 가득 차 버리면 변화하는 계절을 미처 충분히 만끽하지 못하고 지나 버린 것이 못내 아쉽다.

우리 동네는 집 양쪽으로 도로변이다. 도로를 따라 가로수가 심겨 있다. 가로수 안쪽으로 약간의 휴식 공간이 조성되어 있다. 설치된 기구로 운동도 할 수 있다. 가끔 한 번씩 나가서 운동한다. 모르는 사람에게 말을 걸어보기도 한다. 이런 도시조성을 해준 시에 감사한 마음도 든다. 하지만 도로변의 시끄러운 차량 통행 소음과 거기에서 나오는 매연에서 느껴지는 탁한 공기는 마음에 들지 않는다. 몸 상태가 좋지 않을 때는 그것이 스트레스가 되어 아주 잠깐만 있다 온다.

도시 속의 삶이 녹록지 않다. 삶에 지치고, 오염된 공기를 마시며, 쫓기듯이 시간이 지나간다. 그래서 언제부턴가 한두 달에 한 번쯤은 하루를 정해 산이나 들로 나간다. 집에서 2시간 내외의 거리면 적당하다. 정해진 곳이 없이 출발할 때가 많다. "오늘은 충청북도 쪽으로 가볼까" 하며 대략 방향만 설정하고 출발한다. 도심에서 멀어질수록 공기가 맑아진다. 몸속의 탁해진 피가 맑아지는 것 같은 느낌을 받는다. '늘 이런 맑은 공기를 마시고 살 수 있으면 좋을 텐데'라는 생각을 해본다. '맑은 공기를 담아갈 방법은 없을까!' 하며 생각한 적도 있다.

그런데 최근에 지인에게 선물을 받았다. 산 공기 스프레이다. 겉면에 영어로 '지리 에어'라고 쓰여 있었다. 설명서대로 플라스틱 마스크를 입에 밀착시키고 꼭지를 눌러 공기를 흡입했다. 놀랍고 신기했다. 정말 지리산 공기가 맞나 보다. 깊은 계곡에서 느낄 수 있는 냄새가 난다. 축축한 물이끼에서 나오는 향이 섞인 시원한 계곡물 냄새다. 몇 번 들이마시니 몸이 개운해지는 것 같았다.

나도 맑은 산 공기가 필요해 멀리 한번 갔다 오는 것이다. 동네 도로변에 거주하는 느티나무, 벚나무 가로수와 조경 풀꽃들을 데리고 한 번씩 멀리 다녀와 주면 좋겠다고 생각하기도 한다. '사람이라면 온종일 도로변 옆에서 소음과 매연에 미치지 않고 어떻게 살겠는가!' 싶은 마음이 들어서다. 하지만 어쩔 수 없이 나 혼자 한 번씩 소음 없고, 경치 좋고, 맑은 공기 마실 수 있는 곳으로 하루 여행을 간다.

한 인터넷 신문에 보도한 다음과 같은 글을 읽었다. '자동차 배기가스 등 오염물질로 인해 많은 지역에서 대기오염이 악화하고 있는 가운데, 아시아에서 초미세먼지가 가장 심하다는 연구 결과가 나왔다. 연구에 포함된 134개 국가와 지역 가운데 92.5%가 세계보건기구(WHO)의 권고 지침을 충족하지 못했고, 대기질 기준을 충족한 국가는 10개국에 그쳤다. 한국은 50번째로 대기질이 나빴다.'

내 나이 어릴 때는 대기질이 나쁜 것에 대해서 별 관심이 없었다. 그런데 이제는 공기 때문에 까다로워진 나를 경험하게 된다. 피로감이 빨리 찾아오고 호흡이 편하지 않다는 것이 느껴진다. 가끔 이렇게 하루 여행을 다녀오면 나는 숨통이 트이는 것을 느낀다.

대기오염에 토양오염으로 지금은 함부로 쑥, 냉이도 캘 수 없다. 농사도 약과 비료로 키운다. 슈퍼에서 사 먹는 채소가 다 인공 영양 공급으로 자란 것이다. 노지에서 자란 것이라고 해도 믿을 것이 못 된다. 밭이 도로변에 많이 있는데 자동차 배기가스와 대기오염을 농산물도 고스란히 먹고 자라게 된다고 생각이 든다. 한 번은 깻잎을 사 와서 물에 잠깐 담가 놓았는데 깻잎에서 시커먼 공장 먼지 같은 것들이 묻어 나와 깜짝 놀랐다.

마트에 갈 때마다 비닐에 꽉 낀 호박을 파는 것을 보는데 나는 그 호박을 절대 사지 못한다. 그 호박이 꽉 낀 비닐에 스트레스를 받았을 것 같아서다. 상품성을 좋게 하려고 품종 개량도 많이 되고 농사 기술도 좋아졌다. 하지만 산과 들에서 자란 인공적이지 않은 식물들과는 다를 것이라는 생각이 든다.

전에 어느 특별한 주말농장을 본 적이 있다. 그 주말농장에는 규칙이 있다. 사람의 소변을 거름으로 줄 수 있지만, 그 외의 것은 금지되어 있다. 그리고 풀을 메면 안 된다. 풀 속에서 자라게 두어야 하며 아이들과 함께 가족이 와서 풀 속에서 자란 채소를 채취할 수 있고, 주변의 풀들로 음식을 만드는 체험활동으로 운영된다. 나는 이런 유의 생각에 공감한다. 자연 속에서 자란 그대로의 식물들을 먹어보고 맑은 공기를 마시려고 하루 여행을 가는 것이다.

햇빛 보러 가는 하루 여행

나는 작열하는 태양 빛의 열기를 좋아한다.

햇볕에 나가면 내 몸의 세포들이 좋아서 열광하는 느낌이다. 햇볕은 나를 건강하게 하는 것이 틀림없다. 직장에서 종일 에어컨 바람에 냉방병 걸릴 지경이지만 오랜만에 조금 일찍 퇴근해 햇볕에 나오면서 몸의 냉기가 빠져나가고 온기가 스며들며 꽁꽁 언 몸을 살려낸다.

참 신기하다. 지구에서 1억 5천만 Km나 떨어져 있는 저 태양 빛의 에너지가 생태계의 근원이 된다지 않는가! 지구가 23.5도로 기울어져 있는 것도 자전과 공전을 하면서 골고루 데워지기 위해서란다. 현재의 거리에서 지구가 조금이라도 멀어지면 모든 생물이 얼어 죽고 조금이라도 가까워지면 타 죽는다고 한다. 적당한 거리에 두어 생물들이 살아가게 된 것인데 도시의 한가운데 인간에게는 햇볕이 부족하다. 낮에 온종일 사무실에 틀어박혀 있으니 햇볕을 충분히 쬘 시간이 부족한 것이 사실이다.

게다가 행복 호르몬인 세로토닌도 햇볕을 받을 때 많이 나온다고 알려져 있다. 햇볕이 수면에도 영향을 미치고 면역력도 향상시킨다. 자외선 때문에 햇볕을 싫어하는 사람이 많다. 그러나 건강을 위해서는 일조량을 늘려야 한다고 생각한다. 이론적인 것은 둘째치고라도 나는 기분상 왠지 맑은 공기를 마시고 햇볕을 쬐면 마음도 정화되고 평화로워지는 것 같아서 좋다.

햇볕과 관련해서 특별한 경험도 있다. 아들이 화농성 습진이 났다. 머리끝에서부터 발바닥까지 농이 지는 습진이다. 온몸에 상처가 생기고 진물이 나고 매우 가려워했다. 이 병원 저 병원을 전전하며 3년을 지냈다. 그래도 군대는 피할 수 없는 상황이었다. 온 가족이 모처럼 만에 수영장을 가기로 했다. 8월의 불같은 뙤약볕에서 피부가 다 데었다. 그런데 신기한 일이 일어났다. 탄 피부 껍질이 벗겨지면서 화농성 습진이 싹 나았다. 군대 가기 바로 직전의 일이다.

햇볕이 병균을 태워 죽이고 면역력을 높였나 보다. 시래기나 나물, 고추 등을 햇볕에 말린 것은 건조기로 말린 것과는 천지 차이다. 그래서 태양초가 비싸다. 햇볕이 얼마나 열일하는지 나는 햇볕 예찬론자다. 그만큼 햇볕을 좋아한다.

어디로 가는가에 대해서는 말한 것처럼 방향만 정하고 발길 닿는 곳으로 움직인다. 가다가 마음에 드는 곳에 내려서 둘러본다. 자꾸 가다 보니 대략 공통점이 생겼다.

첫째는 양지바른 동네이면서 농가구가 몇 집 안 되는 외따로 떨어진 곳이 좋다. 들이 있고, 산이 있으면 된다. 둘째로 계곡을 낀 곳이 좋다. 가까운 곳에도 뜻밖에 밀림 느낌이 나고 맑은 물이 졸졸 흐르는 계곡이 숨어있는 곳이 있다. 이런 곳은 흐르는 계곡 옆으로 자라는 식물과 들꽃이 다양하다. 하찮은 들나물, 산나물도 향이 좋고 연하여 맛이 좋다. 세 번째는 꽤 넓은 산을 끼고 있는 강변이다. 강변에 둔치가 정비되어 있지 않은 순수한 들녘이 있어야 한다. 이런 곳은 탁 트인 시야와 산을 낀 강의 좋은 경치를 보는 것만으로도 햇볕 좋고, 경치 좋고, 힐링도 만 땅이 된다.

한적한 산 아랫마을, 들녘이 좋아 다니다가 발견한 진천의 농다리. 농다리가 있는 세금천변 산 아래 가로수길은 영화의 한 장면이 될 만한 경관이다. 그런데 사람들이 농다리를 건너, 산 위로 올라가고 있었다. 나도 따라갔다. 약간의 고갯길을 넘으니 예상치 못한 장관이 펼쳐졌다. 신선이 나올 법한 초평호다. 이런 곳이 숨겨져 있다는 것에 놀랐고, 호수의 크기에 놀랐고, 경관에 놀랐다. 얼마 전에 가보니 초평호 위로 이쪽저쪽을 잇는 구름다리를 만들어 사람들이 호수 위로 구름다리를 건너고 있었다. 이런 발견의 재미가 좋다.

강원도 홍천강변으로도 자주 간다. 홍천에 서석면이 있다. 서석면은 산에 들에 하루 여행을 시작하게 해준 곳이다. 남편이 급성으로 디스크가 왔다. 통증이 심해지면서 둔치와 다리까지 아프더니 점차 엉덩이를 바닥에 댈 수 없는 상태까지 되었다. 병원에서 MRI도 찍고 치료를 받았지만, 차도가 없었고 수술을 해야 한다고 했다. 그 당시만 해도 허리 수술이 위험하게 여겨져 엄두가 나지 않았다. 그러다가 시댁의 동네 사람 소개로 서석면에 가게 되었다.

그곳은 참 신비로웠다. 그 동네 사람들의 말에 의하면 침술원의 원장은 나이 일곱 살에 갑자기 시력을 읽게 되었다고 한다. 그런데 신비한 개인적 체험으로 신체 내의 모든 몸의 구조와 신경을 눈에 보듯 보게 되었다고 한다. 침술원에는 많은 입원실이 있었고 입원실이 모자랐다. 그래서 동네에 빌라를 지어 이사를 한 사람도 있었다. 동네 사람들도 자기 집에 손님을 받아 숙식을 제공하고 돈벌이를 하고 있었다. 우리도 동네 사람이 하는 집에 상주하면서 침술로 디스크를 치료받았다. 교통사고로 만성적으로 아픈 이들과 중풍으로 고생하는 이들이 많았고 사소한 것에서 중증질병까지 침으로 못 고치는 병이 없는 것 같았다. 신기한 것은 손목 맥을 짚어보고 당뇨나 혈압의 정도를 알아맞혔다.

우리도 병원에서 판독 받은 척추관절의 상태에 대해서 침술원 원장에게 같은 내용의 해석을 들었다. 우리는 원장을 MRI 원장이라 불렀다. 제주도에서 비행기를 타고 침을 맞으러 올 정도로 소문난 곳이었다. 그 일로 주변을 탐색하고 홍천강변의 정취에 빠져 자주 가게 된 것이다. 지금은 침술원 원장이 나이 많아 돌아가시고 동네는 빛을 잃었다.

그러나 아직도 나는 가끔 그곳에서 가까운 홍천강변을 하루 여행지로 선택한다. 그곳은 사람들의 발길이 덜 닿은 곳이다. 물속에는 다슬기가 많고 특히 수수미꾸라지가 많다. 실하고 좋은 토종 미꾸라지나 꺽지, 메기와 붕어도 산다.

강변을 따라 둑길을 걸으며 오염되지 않은 들에서 쑥, 당귀, 왕 씀바귀, 민들레, 들 미나리를 보면 한 줌씩 뜯어와 향을 맛본다. 그리고 흔해 빠진 개망초꽃은 뻔히 알면서 기어이 가서 한 번 더 보게 되는 꽃이다. 엉겅퀴꽃이나 금계국, 감국은 예쁘기도 하고 꽃차로도 좋다.

둑길을 걸으며 숨도, 몸도 맑아지고 소리의 소음과 신경 쓰이는 여러 가지 마음의 소음도 털어버린다. 그냥 산에 들에 잠시 있는 것만으로도 마음에 안식과 평화로움이 느껴진다. 이 마음의 근원을 한번 생각해 보았다. 아마도 어머니와 연관이 있지 않나 하는 생각이 들었다. 어머니와 함께 산에 들에 갔던 경험이다. 어머니, 아버지는 매년 5월경에 한 번씩 산에 들에 다녀오셨다. 가끔 우리를 데리고 간 적도 있었다. 그리고 '이건 무슨 꽃이다. 이건 무슨 나물이다.'하고 알려주셨다.

나는 중학교 다닐 때 만성적인 두통을 앓았는데 어머니, 아버지가 산에 가서 꽃핀 가을 구절초를 한 아름 해오셨다. 그것을 큰 가마솥에 다 넣고 온종일 팔팔 끓여 건져내고 다시 연탄불에 며칠을 은근히 졸였다. 그 물이 아주 작은 단지로 하나 될 정도로 졸인 다음 거기에 갱엿과 대추와 밤만 넣어서 다시 졸여 먹게 했다. 그 한 단지를 먹고 나서 지금까지 두통이 없다. 이것도 햇볕이 키워낸 약초의 힘이 아닌가 싶다.

햇볕과 자연이 나에게 내어준 어머니가 해준 약, 그리고 어머니와 함께했던 산과 들이 나에게 힐링을 준다는 생각이 든다. 어떨 때는 몸 상태가 매우 안 좋은 데도 나갔다 오면 신기하게 피곤이 풀리고 몸이 맑아지는 경험을 한다.

차와 향기를 가져오는 하루 여행

TRAVEL

어릴 때 어머니는 쑥을 밀가루에 버무려 소금과 뉴슈거를 조금 넣고 쪄냈다. 그러면 형제들은 쑥 향기와 단맛이 어우러진 쑥버무리를 맛있게 먹었다. 그 향기가 아직도 코끝에 남아 있다. 냉이도 마찬가지다. 참 냉이는 봄이 오기 전 땅이 살짝 녹아 양지바른 곳에서 싹이 막 나오려고 할 때쯤 캔다. 큰 놈은 인삼 같은 맛이 난다. 고추장으로 새콤달콤하게 무치거나 된장에 들기름을 넣어 무치면 봄맛이 입안 한가득 된다.

산에 들에 숨 쉬러 가고, 햇볕 쐬러 가지만 차와 향기는 집으로 가져올 수도 있다. 냉이꽃, 씀바귀꽃, 토끼풀꽃, 코스모스, 금낭화, 초롱꽃, 얼레지, 붓꽃, 제비꽃, 할미꽃, 봄맞이꽃, 원추리꽃 등 그중에서 나의 눈길을 강하게 끌었던 꽃이 있다. 패랭이꽃이다. 햇볕 강하고 메마른 덤불 속에서 잘 피었다. 대가 가늘고 마디에 우슬초처럼 마디가 있다. 꽃의 야무지고 강렬한 붉은 색깔에 매료되었다. 패랭이꽃은 약으로도 쓰고 꽃차로도 먹을 수 있다. 지금은 키 작은 패랭이꽃 종류들이 주로 화분에서 자라고 어릴 적 내가 보았던 들에 핀 패랭이꽃은 보기 힘들다.

민들레 차는 시중에도 나와 있다. 민들레잎을 달인 찻물에 꽃을 띄워 한잔 마셔보기도 한다. 노란 민들레는 서양 민들레로 꽃이 가을까지 피는데 토종 흰 민들레는 보기 어렵다. 어릴 때 보았던 식물들이 보기 드물어진 것들이 많다. 명아주, 쇠뜨기 그리고 항상 지천에 보이던 닭의장풀, 뱀딸기, 강아지풀, 메꽃 같은 것들이 많이 안 보인다.

칡꽃, 금계국, 감국이 있으면 조금만 따온다. 흔한 뽕나무 잎도 조금만 따온다. 약간의 산과 들의 여운만 가져온다. 간편하게 전자레인지를 이용해 수분을 날려 보내고 말려서 준비한다. 뜨거운 물에 우려 마시는데 금계국은 생태계 교란 식물이지만 차로 마실 때는 노란색이 참 곱다. 들꽃 차는 색깔과 향기와 맛과 건강을 챙기면서 마음 정화의 효과도 있다. 산에 들에 하루 여행의 기분도 연장할 수 있다.

화살나무, 엄나무, 오가피나무, 고추나무, 옻나무, 싸리나무 등 먹을 수 있는 나무의 순들도 있다. 나는 엄나무 순이나 오가피 순, 옷 순을 좋아한다. 새콤달콤한 장아찌로 만들어도 맛과 향이 좋다. 나무순이 아닌 것 중에서는 머위잎, 둥굴레잎, 산마늘잎, 산초잎, 생강나무잎 등이 있다. 각각 특별한 향과 맛을 지니고 있다. 특히 생강나무 잎은 맛과 식감이 독특하다.

한여름에 들에는 칡넝쿨이 지천을 덮고 있다. 넝쿨 끝부분의 잎을 따서 차로도 만들어 마실 수 있다. 이것은 자연인 프로그램을 보고 힌트를 얻었다. 여성에게 좋은 약초이기도 하다. 계절과 관계없이 뽕잎은 날 것이나 말린 것을 1분 30초 정도만 잠깐 끓여 차로 마신다. 그

물이 달고 맑은 푸른빛의 색깔을 띠고 뽕나무 열매인 오디 같은 향기가 난다. 말리지 않은 잎은 풋내가 느껴질 수 있는데 커피 알갱이를 한 꼬집 떨어뜨리면 맛이 구수해진다.

자연에서 직접 얻은 것은 색과 맛과 향기가 특별하다. 게다가 약의 효능도 있다. 그래서 산에 들에 간다. 맑은 공기를 마시고, 햇볕을 쐬고, 색깔을 보고, 향기를 맡고, 맛을 보려고 나는 간간이 산에 들에 하루 여행을 간다.

PARIS
LONDON
JAPAN
GERMANY
EGYPT

신성자

196425@hanmail.net

인문학·여행작가

엘 이레상담교육연구소 대표
한국출판지도사협회 부회장 겸 경남 창녕지부장

글쓰기·책쓰기 강사
학교폭력 갈등조정위원·전담조사관
부모-자녀 관계회복전문강사
생명존중전문강사
성폭력 예방교육강사

교육(상담교육)학박사

"가장 위대한 여행은
지구를 10바퀴 도는 여행이 아니다.
단 한 차례라도
자기 자신을 돌아보는 여행이다."
-간디-

여행, 나에게 주는 선물

인동초 꽃향기
바람에 날리던 날

여행은 돌아갈 곳이 있는 사람이 자신에게 주는 선물이다. 길을 잃은 사람에게는 하프타임이기도 하며, 달리는 사람에게는 숨 고르는 순간이기도 하다.

인동초 꽃향기 바람에 날리던 날 수첩등에 펜 꽂고, 수필 한 권 손에 들고 길을 나선다. 삶은 여행이다. 햇빛에 반사되어 반짝이는 나뭇잎은 경이로움으로 가슴을 두드리고 스쳐 지나가는 바람은 살아있음을 감사하게 한다. 환희에 젖는다. 충만함이 온몸을 지배한다. 왠지 마음에 뭉클한 뭔가가 치밀어 올라 가슴을 먹먹하게 한다. 콧노래가 나오고 기분 좋은 미소가 입술 끝에 맺힌다. 행복하다. 매일 지나다니던 길을 따라 달리는데도 '여행'이라는 의미가 부여되니 만물이 새롭다.

4월 10일, '이삼빡한 우리(23년에 박사학위 받은 우리)' 동기들이 봄꽃 찬란한 아름다운 계절에 대구 '더 아양'에서 만나 다음 여행지를 물색하던 중 산청군 '동의보감촌'에서 만날 것을 약속했다. 하동에 사는 김 박사의 이동 거리로 인한 심리적 부담감을 십시일반으로 나누어 갖고자 이번에는 우리가 김 박사네에 가기로 한 걸음이었다.

작년 6월 5일 '이수도'에서 만나 1박 2일 후 1년 만에 보는 얼굴도 있어 새삼 마음이 설렌다. 멀리서 실루엣만 봐도 반갑다. 말없이 오가는 눈빛에 마음은 이미 무장 해제되고 위로가 된다. 미소진 얼굴을 대하고 손을 맞잡으면 더없이 반갑다. 손끝으로 느껴지는 온기에 마음마저 따뜻해진다. 마주 잡은 손에 내 온기를 더하고, 전해져오는 온기에 마음을 실어 보낸다. 힘주어 마주 잡은 두 손에 살짝 힘을 더하니 마음이 전해진다. 격려의 마음이다. 잘 지냈냐 묻는 안부의 인사에 함축된 의미가 크다.

서로의 안부를 전하던 중 논문을 쓰기 위해 함께 날밤 새우기를 밥 먹듯 하며 서로의 고뇌와 고통을 누구보다 이해하고 공감하는 동기들이기에, 당분간 글쓰기는 쳐다보기도 싫다는 전 박사 말에 모두 같이 웃음을 터트린다.

오리 요리로 점심을 먹고 '동의카페'에 앉으니, 창문을 통해 은근히 스며들어오는 인동초 꽃향기가 코끝을 간질인다. 아, 너무 좋다! 성주에서 온 이 박사 말에 모두의 입가에 미소가 걸린다. 공감한다는 뜻이다. 추억을 공유하는 사람과의 여행은, 이래서 좋다. 긴말하지 않아도 고개가 끄덕여진다. 같이 가만히 앉아만 있어도 충만한 무언가가 채워진다. 아, 참 좋다!

때로 침묵은 배려가 된다. 상대방의 사색을 방해하지 않는 존중이다. 인간만사 새옹지마라. 어찌 늘 좋은 일들만 있을 수 있을까. 좋은 사람과 함께 하는 여행은 그 어깨의 얹힌 무거운 짐을 한순간이나마 내려놓을 수 있게 하는 세로토닌이다. 짊어진 짐의 무게가 느껴지지 않는다. 등에 짊어진 짐을 잊히게 한다. 시답잖게 들려오는 농담을 웃으며 넘기고, 내 속에 존재했었는지도 모를 재치가 언어로 튀어나온다. 그래서 웃는다. 웃어서 좋다. 신경이 이완되고 경직된 근육이 차츰 풀린다. 순간 몰입의 경지에 빠져든다.

아, 굳이 애써 내 짐을 벗으려 발버둥 치지 않아도 되는구나. 그래, 그냥 나인 것을. 애쓰지 않아도 나인 것을. 누가 알아주지 않아도 나인 것을. 내가 나로 살면 이렇게 자유로운 것을. 내가 원하는 것이 이것이었구나. 나는 나를 내려놓을 순간이 필요했구나.

엄마도, 딸도, 아내도, 목사 부인도, 박사도, 강사도, 교육자도, 학교폭력 전담 조사관도 아닌, 그냥 나인대로, 나로 있을 시간이 필요했구나.

문득 혼자 있고 싶은 마음에 가만히 일행에게서 벗어나 카페 화단으로 향한다. 눈 아래로 동의보감촌 전경이 펼쳐진다. 굽이굽이 펼쳐진 능선, 산등성이의 유려한 곡선이 아름답다. 내 나라 대한민국이 사랑스럽다. 나는 이런 좋은 나라에 속해 있구나! 기분이 좋아진다. 좋은 기분으로 시선을 아래로 향하니 클로버가 보인다. 클로버 잎의 의미가 뭐였더라? 이왕 봤으니 네 잎 클로버 한 번 찾아볼까? 어느새 내 발걸음은 클로버 무더기로 향한다.

희망이라는 이름을 가진 한 잎 클로버, 눈물이라는 이름을 가진 두 잎 클로버, 행복이라는 이름을 가진 세 잎 클로버. 행운이라는 이름을 가진 네 잎 클로버, 돈, 경제적 번영의 다섯 잎 클로버, 지위와 명성의 여섯 잎 클로버, 무한한 행복의 일곱 잎 클로버. 우리는 때로 '행운'을 잡기 위해 '행복'을 아무렇지도 않게 짓밟기도 하고 '행운'을 뒤쫓다 '눈물'의 늪에 빠지기도 한다. 어쩌다 한 잎, 두 잎, 네 잎, 다섯 잎, 여섯 잎, 일곱 잎의 요행이 내 앞에 신기루처럼 다가오기도 하지만 요행은 마음을 다한 노력으로 얻은 것이 아니기에 쉽게 간과하여 허비하기도 한다. 부디 행운을 찾다 행복을 잃지 않기를!

상념에서 깨어보니 어머나! 이럴 수가! 눈앞에 네 잎 클로버가 있다. 찾다 보니, 어머! 다섯 잎 클로버도 보인다. 그럼 내게 행운과 돈, 경제적 번영이 오고 있다는 말인가? 갑자기 기분이 좋아진다. 뜻하지 않은 선물을 받은 느낌이다. 이런 것을 맹목적으로 믿지 않을 만큼 적당히 이성적인 나는 웃음 한 번으로 미몽에서 벗어난다. 그래도 기분은 좋다. 올 수도 있지. 행운도 올 수 있지. 돈도, 경제적 번영도 올 수 있지. 내가 어떻게 살아왔는데. 여태까지 쉼 없이 달려오지 않았던가. 누구보다 열심히 살지 않았던가. 밤잠을 아껴가며 논문을 쓰고 ppt를 만들고 글을 쓰지 않았던가. 때로 뜬눈으로 밤을 새우고, 희끗이 다가오는 새벽을 피로한 온몸으로 맞이한 적도 있지 아니한가. 밤새워 글을 쓰고 새벽 4시에 새벽기도 가기 위해 1시간을 고속도로를 미친 듯이 달리지 않았던가. 이틀 동안 30분으로 쪽잠을 자고 강의하고 상담하고 일하지 않았던가. 내 시간이 있었던가, 나를 위해 산, 오로지 나만을 위해 살은 시간이 있었던가.

몸은 피로했으나 정신만을 또렷했던 그때가, 그 순간이, 그 순간의 노력과 열망과 몰입에 나를 던졌던 그 모습이, 찰나에 클로즈업되어 나를 일깨운다.

그래 나는 이런 사람이었지. 환경에 기대거나 환상에 기대는 사람이 아닌 현실을 보는 사람, 오늘에 최선을 다하는 사람, 결과는 하나님께 맡기고 내가 해야 할 일에 올인하는 사람, 그게 바로 나인 게지.

여행은 또 다른 나를 진솔하게 만나는 시간이다. 직면의 순간이다. 회피하며 도망치던 자신을 맞닥뜨리는 기회의 미끼다. 여행은 돌아오는 최후의 순간까지 심층 깊이 묻혀 있는 의식에 집중하게 한다. 삶의 자세를 반추하게 하고 성장으로 걸음 하게 한다. 백기를 들고 외면하고 무시했던 내면을 들여다보게 하며, 길을 찾고 방향이 설정되게 한다.

여행을 통해 내면은 다이아몬드처럼 단단해지고 굳건해진다. 눈에 보이는 아름다운 자연, 귀에 들려지는 자연의 생명의 소리, 코로 스며드는 저마다의 향취, 신체 구석구석 어루만지는 자연이 주는 선물에 정서는 충만해지고 아무것도 바뀐 것 없는데 나는 세상에서 가장 많이 소유한 부자가 된다.

갑자기 일상에서 옥죄던 문제들이 하찮게 여겨지고 용기가 생긴다. 까짓것, 다시 한번 해보는 거지. 뭐, 인생 별거 있나? 꼴리는대로 사는 거지. 내 꼴림은 오늘의 내 인생에 최선을 다하는 것. 오늘 만나는 사람에게 집중하는 것. 오늘의 나를 나답게 하는 것, 오늘에 나를 던지는 것, 나에게 부여된 오늘의 삶에 몰입하는 것.

나에 대한 이해가 풍성해지고 자신감이 차오른다. 네 잎, 다섯 잎 클로버를 발견한 기쁨을 가슴에 품고 일행이 있는 카페의 문을 연다.

인생의 미로
넌 할 수 있어

"위기청소년을 둔 부모의 회복탄력성이 부모-자녀 관계 회복에 미치는 영향에 관한 현상학적 연구"는 나의 박사 논문 제목이다. 위기청소년 상담을 비롯하여 부모교육, 스마트폰 과의존 및 중독 예방교육, 자살·자해 예방교육, 성폭력, 학교폭력 예방교육에 몰두한 시간이 20년이 가까워진다. 갈수록 청소년 문제가 심각해지고 있음을 발견한다. 시대 변천보다 학교폭력으로 인한 아이들의 문제가 몇 단계 높이 업그레이드되는 듯하다. 절대 바람직하지 않은 모습이다.

길을 잃은 부모, 망연자실하여 자포자기한 부모, 자기 세계에 갇혀있는 부모, 회유하는 부모, 협박하는 부모, 모두 길을 찾기에 여념이 없다. 방법을 찾기에 부지런하다. 어느 날 인가부터 우리는 본연을 외면하고 사는 것 같다. 편법적 방법에 몰두하고 기술에 몰두한다.

인간은 유기체다. 방법과 기술에 제한될 수 없는 엄청난 존재다. 인간 존재의 이유를 상실하고는 인간으로서의 존엄성을 살릴 수 없다. 인간다움을 누릴 수 없다. 우리는, 길을 잃어가고 있다.

부릉교 출렁다리를 건너기 위해 올라가던 중 미로공원을 만났다. 동의보감촌 산기슭에 자리 잡은 미로 공원은 『동의보감』의 내경편에 나오는 신형장부도를 형상화한 미로 공원이다. 신형장부도는 살아있는 사람의 체내 정기신 흐름과 오장육부의 운행을 그린 일종의 개념도이며, 한방 미로공원은 그것을 표현한 것이다. 미로공원은 땅의 기운인 '정', 사람의 기운인 '기', 하늘의 기운인 '신'을 조화롭게 받아들여 건강하게 오래 사는 법을 얻기를 바라며 만든 공원으로 가로 83m, 세로 35m에 측백나무 2,065주와 황금실화백 40주가 심겨 있어 조금 더운 듯한 날씨임에도 미로 초입에 들어서자 양쪽으로 늘어서 드리우고 있는 편백나무 그늘로 인해 금방 마음이 편안해짐을 느낀다. 편백나무가 뿜는 '피톤치드'는 가슴에 있는 탁한 기운을 단번에 몰아내는 듯한 청량한 시원함을 느끼게 해준다. '피톤치드'가 뿜어내는 살균, 항균 물질이 공기를 정화하여 호흡이 순조롭기 때문일게다.

1,480m 미로 곳곳에 뇌, 폐장, 심장, 위장, 비장, 쓸개, 간장, 신장, 소장, 대장, 방광의 인체도가 그려져 있고, 몸속 장기들의 크기, 역할이 간략하게 설명되어 있어, 이를 읽고 내장기관 그림을 둘러보며 공부하며 걷는 길의 재미가 제법 쏠쏠함을 느낀다. 일행들과 금방일듯하지만 쉽사리 끝나지 않는 미로 속에서 청정한 공기와 향을 음미하며 앞사람을 따라 걷다 보니 어디선가 종소리가 들린다. 미로 출구에 설치된 종을 미로를 통화한 누군가가 울리는 소리였다. 문득 어니스트 헤밍웨이의 장편 소설 『누구를 위하여 종은 울리나』가 떠오른다. 게리 쿠퍼, 잉그리드 버그만 주연의 영화 한 장면도 생각난다. '뎅 그랑 뎅그랑' 종은 울리는데 그 사람은 없다. 사랑하던 이는 올 수 없다.

종은 누구를 위하여 울리나. 종은 살아있는 그대를 위하여 울린다. 용기를 주는 소리다. 다시 일어서라는 재촉의 소리다. 할 수 있다는 희망의 소리다.

우리는 돌아갈 곳을 준비해 두어야 한다. 돌아갈 것을 생각하고 길을 나서야 한다. 너무 멀리 와버려 돌아갈 길을 잃게 되어서는 안 된다. 내가 어디쯤 와 있는지, 어디에 서 있는지, 언제 되돌아서야 하는지를 망각해서는 안 된다. 나를 위해 울리는 종소리를 온몸으로 들을 자리, 그 자리에 내가 있어야 하며 그 소리를 내가 들을 수 있어야 한다.

옛날 어느 나라 임금이 한 성실한 농부에게 기회를 줬다고 한다. "지금부터 오늘 하루 동안 네가 걸어가서 깃발을 꽂은 모든 땅은 너의 소유로 주겠다. 단, 해가 지기 전에 반드시 출발점으로 돌아와야 한다. 그렇지 않으면 모든 것은 무효가 될 것이다." 성실했지만 가난했던 이 농부는 어땠을까? 이런 기회를 어떻게 놓칠 수 있겠는가? 최대한 많은 길을 걸어 더 많이 소유하고 싶은 것은 당연한 것이 아니었을까. 불타는 의욕으로 보무도 당당하게 나갔던 농부는 해가 서산마루에 걸려 막 떨어지려던 찰나 돌아왔다. 성공한 것이다. 얼굴에 만연한 웃음은 세상을 다 가진 자의 만족함이었다. 약속대로 왕은 그 모든 땅을 농부의 소유로 인정했다.

그러나 출발점으로 돌아온 이 농부는 다음 날의 태양을 보지 못했다. 너무 먼 길을 돌아온 까닭에, 욕심의 미로에 빠져 너무 멀리까지 걸어간 까닭에, 기력이 다하여 쓰러진 것이다. 다시 일어나지 못한 것이다. 회복하지 못한 것이다. 그 길로 그의 삶은 마감되었다. 과한 욕

심으로 인해, 자신이 성취했던 것을 누리지 못한 것이다.

길을 잃었을 때는 무작정 달리면 안 된다. 미로 속에 가만히 멈추어 서서 지나온 길을 되짚어 봐야 한다. 어디에서 길을 잃었는지, 길을 잃은 계기가 무엇인지 점검해야 한다.

나는 미로에 갇혔다고 여겨지면 심호흡하여 마음을 가라앉히고 그 순간을 즐긴다. 나무가 뿜는 향내에 집중하고 나무의 모양과 아름다움을 감상한다. 그러다 보면 여유가 생기고 빠져나갈 방법이 떠오른다. 그때, 할 수 있다는 자신감, 자기효능감을 가져야 한다. 할 수 있는 자신을 믿어야 한다. 해낼 수 있는 자신을 믿어야 한다. 자신 안에 있는 에너지를 바탕으로 지혜를 모아야 한다. 그러면 길이 보인다. 출구가 보인다. 그 길을 향해 한 걸음 내디디면 된다.

대가 없는
아름다움은 없다

TRAVEL

여행에서 만나는 풍경들은 너무나 아름답다. 유명한 명승고적, 이름난 관광지일수록 더욱 그렇다. 조화롭게 꾸며진 멋진 화단. 각양각색으로 피어난 아름다운 화초들, 군더더기 없이 잘 다듬어진 조경수, 깨끗이 닦인 청결한 도로, 감탄이 절로 나온다. 누가 이렇게 아름답게 손질했을까? 이렇게 멋지게 꾸민 사람은 어떤 사람일까?

여행은 농부의 땀방울을 음미하게 한다. 여행이 즐거운 것은 누군가의 수고와 희생의 손길이 있었기 때문이다. 그 손길이 오늘 나를 행복하게 미소 짓게 한다. 동의보감촌에 도착하여 일행들을 만나기 전 혼자 여기저기를 둘러보던 중 언덕 초입에서 수목을 관리하시는 분들을 발견했다. 쓸모없는 쓰레기, 잔가지들을 치우시는 모습을 목격하게 되었다. 무거운 쓰레기 자루를 힘겹게 끌고 가시는 모습이 보였다. 문득, 고마운 마음이 들었다. 저분들이 아니었으면 이렇게 아름다운 곳에서 내가 이런 충만한 기분을 느낄 수 있었을까?

때로 우리는 자신이 하는 일을 하찮게 생각할 때가 있다. 다른 사람이 하는 일과 비교하여 더 고급스럽고 덜 고급스러운 것을 구분한다. 그러나 세상에 하찮은 직업도 고귀한 직업도 없다.

단지 생활의 기본적 수요를 충족시키기 위한 계속적 소득 활동만 있을 뿐이다.

내가 누군가의 수고로움으로 인해 행복한 감성에 젖고 웃음을 머금을 수 있는 것처럼, 오늘 나의 애씀으로 인해 누군가는 행복해할 것이고, 누군가는 편안함을 느낄 것이며, 누군가는 안전함을 느낄 것이고, 누군가는 길을 찾을 것이다.

대가 없는 아름다움은 없다. 대가 없는 성장도 없다. 나에게 주는 선물의 시간을 통해 길을 찾자. 가장 위대한 여행은 자기 자신을 돌아보는 여행이다. 용기를 가지고 삶으로 나아가게 하는 여행이다.

안현숙

yeppys1230@naver.com

행복누리캠퍼스(연구소)대표
행복누리캠퍼스출판사 대표
한국출판지도사협회 부회장
한국코치협회 코치
한국지식문화원 대표강사
전)전남도립대 겸임교수 역임
2023 코리아문화예술대상&자랑스런한국인상
경제부문 일자리창출혁신대상
기능경기대회 심사위원역임
대한민국 기능장, 한국어교원, 사회복지사,
코치&컨설팅, 글쓰기&책쓰기 지도
<60에 시작한 억대연봉강사 헐! 머니가 온다> 外
20권 저자.

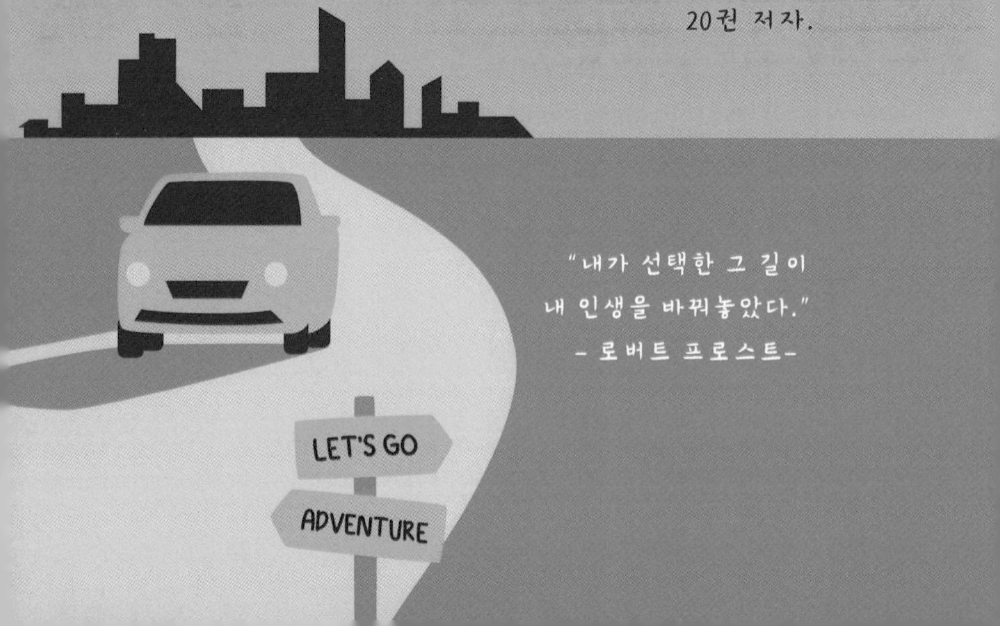

"내가 선택한 그 길이
내 인생을 바꿔놓았다."
-로버트 프로스트-

LET'S GO
ADVENTURE

불굴의 여행자:
러시아 바이칼호의 기적

인생은 뒤집기 한 판:
진단을 거부하고 선택한 용기의 삶

- 평생 침대라니, 내 삶을 거부하다

거친 바다를 헤치는 배는 목적지를 향해 나아가야 하듯, 인생의 항해도 고난과 역경을 극복하며 자신만의 길을 찾아내는 여정이다. 그 여정에서 인생은 예상치도 못하는 느닷없는 경험을 주기도 한다. 이때 새로운 경험을 통해 삶은 진정한 의미를 찾아내는 중요한 역할을 담당하기도 한다.

어릴 적부터 건강에 문제가 있었던 나는, 어느 날 의사의 진단을 통해 평생을 누워만 있어야 한다는 충격적인 사실을 알게 되었다. 그것은 마치 폭풍우 속에서 길을 잃은 배를 운전하는 항해사처럼 나를 나락으로 빠트렸다. 절망적이었다. 하지만 그 순간, 나는 새로운 여행을 결심했다. "평생을 누워 있어야 한다면, 나는 넓은 세상을 한 번이라도 더 보고 싶다." 그리하여, 내 불굴의 여행이 시작되었다.

기왕이면 한민족의 발원지라는 바이칼호수를 찾기로 했다. 그렇게 나의 러시아 여행 도전이 시작되었다. 그곳의 아름다운 풍경, 화려한 건축물, 그리고 별이 가득한 밤하늘은 나에게 새로운 시각을 선사했다. 그 경험은 제한된 상황 속에서도 세상을 느끼고 이해하려는 나의 노력을 여행작가로, 교수로 다양하게 탈바꿈시키는 계기가 되었다.

여행작가로서 나는 세상을 느끼고, 그 안에 참여하며, 삶의 다양한 경험을 가지게 되었다. 나의 여행은 단순히 몸을 움직이는 것 이상의 의미가 있다. 그것은 내 안에 감춰진 용기와 희망을 찾아내는 여행이었고, 나 자신을 다시 발견하는 과정이었다.

나의 이야기를 통해, 나는 독자들에게 '세상에는 제한된 상황을 극복하고, 새로운 경험을 통해 삶의 의미를 찾아내는 무수히 많은 방법이 있다.'라는 메시지를 전하고 싶다. 그 방법의 하나가 여행일 수도 있다. 나의 이야기가 독자들에게 새로운 여정을 찾아 나가는 계기가 되길 바란다.

인생은 항상 예상치 못한 도전과 고난으로 가득 차 있다. 하지만 그 과정에서 우리는 자신을 더 잘 알게 되고, 새로운 경험을 통해 삶의 의미를 찾아내게 된다. 여행은 그러한 경험 중 하나이다. 여행은 단순히 새로운 장소를 탐험하는 것이 아니라, 그곳의 문화와 역사를 체험하고 이해하는 과정이다. 그리하여, 여행작가는 그 경험을 통해 독자에게 새로운 시각과 이해를 제공하는 역할을 담당하게 된다.

나의 이야기가 독자들에게 새로운 여정을 찾아 나가는 계기가 되었으면 한다. 몸도 마음도 아픈 누군가가 나의 이야기를 통해 자신만의 새로운 여정을 찾아 나가는 데 도움을 받았으면 좋겠다. 희망을 주며, 새로운 시작을 만들 수 있다는 것을 보여주고 싶었다. 누구라도 속에 품고 있을 불굴의 정신과 용기를 가지고 새로운 시작을 만들 수 있다는 것을 보여주고 싶었다. 엄마의 여행은 이렇게 시작되었다. 더 이상 나의 이야기만이 아니라 힘들어 방황하는 우리 모두의 이야기가 되길 바란다.

- 한순간도 헛되이 살지 않겠다는 다짐

삶은 때때로 우리에게 예기치 않은 도전을 던진다. 하지만 그 도전이 우리의 의지를 꺾을 수는 없다. "살아 있는 동안, 한순간도 헛되이 살지 않겠다"라는 이 강한 결심이 나를 새로운 모험으로 이끌었다. 한마디로 평생을 누워 지낼 수도 있다는 의사의 진단이 내 삶의 새로운 장을 여는 계기가 되었다. 나는 스스로 각오를 다지며 러시아로 향하는 비행기에 몸을 실었다. 그것은 의사가 진단한 나의 운명을 거스르는 걸음이었다.

한순간도 헛되이 살지 않겠다는 다짐은 나의 러시아 여행을 시작으로, 모든 한계를 뛰어넘는 여정의 서막이었다. 이것은 단순히 한 번의 여행이 아니라, 평생을 걸친 도전이자, 삶의 각 순간을 열정적으로 살아가는 과정이었다. 여행작가가 되기로 한 나는 새로운 세상을 경험하고, 그 경험을 독자에게 전달하는 책임을 느꼈다. 나의 목표는 독자가 러시아의 문화와 사람들을 이해하도록 돕고, 마치 그들이 그곳을 직접 방문한 것처럼 느끼게 하는 것이었다.

여행은 쉽지 않았다. 매 순간 새로운 경험을 추구하며, 나는 두려움을 이겨내고, 의심을 넘어서려 노력했다. 러시아의 경험은 내게 존재의 의미, 삶의 가치, 사랑의 깊이를 깨닫게 해주었다. 이 여정은 나를 성장시키고, 변화시켰다. 어머니의 병을 간호할 당시 어머니의 통증을 백 퍼센트 이해 못 했었는데, 직접 체험한 경험을 통해 어머니에 대해 더 많이 이해하게 되었다. 내가 경험해 보지 않으면 누구도 타인의 아픔에 대해서는 알 수 없을 것이다. 아는 척할 뿐이다. 의사의 진단이 내려진 후 잘 버텼던 몸은 와르르 무너졌다. 어쩌면 모르는 게 더 좋았을 뻔했다. 인간이 이렇게 나약할 수 있다는 것을 처음으로 느끼는 순간이었다. 무너지기에는 아직 절대 엄마를 필요로 하는 아이가 있었다. 일어서야 했다.

이 여행은 나에게 더 많은 것을 가르쳤다. 나는 다양한 문화와 사람들을 만나며 그들의 삶을 이해하고, 그들의 문화를 존중하게 되었다. 그리고 여행은 나에게 새로운 세상을 보여주었고, 그곳에서의 체험을 통해 나 자신을 발견하게 해주었다. 나는 이제 이 경험을 통해 얻은 통찰을 독자와 공유하고자 한다. 나는 여행작가로서, 독자들이 새로운 세상을 경험하고 그곳의 문화와 사람들을 이해할 수 있도록 돕고 싶다. 이를 통해, 나는 여행의 중요성과 가치를 전달하고자 한다.

한 달만이라도 치열하게 살아보기로 결심했다. 이 결심이 여행의 시작이자, 삶을 살아가는 방식이 되었다. 나는 여행을 통해 새로운 세상을 경험하고, 그곳의 문화와 사람들을 이해하도록 돕는 여행작가의 역할을 수행하면서, 독자들에게 새로운 시각과 이해를 제공하고자 한다.

이는 독자에게 삶을 치열하게 살아가는 결심을 실현해 나갈 수 있는 영감을 제공할 것이다.

- 40년을 모르고 살다, 알고 나서 25년

나는 40년 동안 병명을 모른 채로 아픔을 겪으며 살았었다. 그 아픔이 내 일상의 일부가 되어 삶을 담담하게 받아들이고 있었다. 그러다 25년 전, 나에게 불가피하게도 피할 수 없는 진단이 내려졌고, 그 진단은 내 삶의 흐름을 완전히 바꿔놓았다. 그러나 그 모든 시간 동안, 나는 병을 이기려는 의지를 다지고 결코 질병에 내 삶을 내어주지 않았다. 그 대신, 질병을 이기기 위한 의지는 나에게 더 큰 삶의 가치를 발견할 수 있게 해주었다.

불가피하게 떠나게 된 러시아 여행은 내게 새로운 세상의 문을 열어주었다. 새로운 문화와 사람들, 그리고 이 지구별 곳곳이 얼마나 아름다운지 나는 그제야 깨닫기 시작했다. 이 호기심은 나를 깊은 고뇌로 몰아넣었지만, 반대로 생각해 보면 그것은 내 생명을 어둠에서 밝은 빛 위로 끌어올릴 기회였다. 그 공포는 점점 내게 힘을 주는 동력으로 바뀌어, 나는 그 공포를 이기기 위해 더욱 노력하게 되었다.

감사의 마음을 가지고 작은 일상의 순간들을 살아가며, 내 삶을 새롭게 조명할 기회를 얻었다. 이러한 경험은 내게 인생의 중요한 교훈을 가르쳐 주었다. 그것은 바로 '삶의 가치를 알고, 그 가치에 감사해야 한다'라는 것이다. 이 교훈을 통해 나는 삶의 가치를 다시 한번 깨달을 수 있었고, 그 가치에 대한 감사의 마음을 가질 수 있었다. 이러한 감사의 마음은 내 삶을 더욱 풍요롭게 만들어 주었다.

'러시아 여행기' 중 '모른 채 40년, 알고 25년 동안의 투병 생활'이라는 이야기를 통해 전하고자 하는 메시지는, 여러분들에게 '삶의 가치를 알고, 그 가치에 감사해야 한다'라는 것이다. 여러분들이 이 메시지를 통해 삶의 가치를 깨닫고, 삶에 감사함을 느끼길 바란다. 이렇게 되면, 여러분들은 '미래의 셀프 리더'가 될 수 있을 것이다. 이것이 바로 나의 삶을 통해 얻은 교훈과 경험을 바탕으로 여러분들에게 전하고자 하는 메시지이다.

바이칼의 신비:
시베리아의 숨겨진 보석을 넘어

- 바이칼호수: 자연이 숨 쉬는 곳

바이칼호를 처음 마주했을 때, 나는 그 웅장함 앞에서 숨을 쉴 수 없었다. 마치 끝없이 펼쳐진 바다처럼, 호수의 경계가 보이지 않았다. 이 거대한 담수호는 세계에서 가장 깊고 오래된 호수로, 그 성스러운 아름다움에 경외감을 느낄 수밖에 없었다. 그 푸른 물결은 마치 내 마음의 감동을 일으키기에 충분했다.

겨울이면 바이칼호는 거대한 얼음판으로 변신한다. 얼음은 차량이 지나갈 수 있을 만큼 단단해지고, 주변 사람들은 이를 활용해 작은 상점을 세우거나 얼음낚시를 하며 생계를 이어간다. 이들의 생활은 바이칼호가 단순히 자연의 아름다움만이 아니라, 삶의 터전이기도 하다는 것을 보여준다.

바이칼호의 매력은 그 자연경관에만 있는 것이 아니다. 호수에서 잡히는 신선한 물고기로 만든 요리는 그 지역의 풍부한 자원을 반영하며, 이는 방문객에게 또 다른 형태인 자연의 선물이다. 이러한 음식문화는 바이칼호를 더욱 특별하게 만들며, 여행자에게 그 지역의 삶을 깊이 있게 경험할 기회를 제공한다.

이 여행은 나에게 더 넓은 세계를 보는 눈을 열어주었다. 과거 소련과 공산권의 이미지에 갇혀있었던 나의 시야는 이제 완전히 달라졌다. 바이칼호에서의 경험은 나에게 새로운 세계를 탐험할 용기와 호기심을 심어주었고, 이는 나를 더 나은 사람으로 성장하게 했다.

바이칼호의 깊은 물결처럼, 여행은 우리의 내면을 깊게 파고들어 우리가 누구인지, 우리가 무엇을 할 수 있는지를 탐색하게 한다. 그리고 그것은 우리에게 삶의 진정한 가치와 감사할 줄 아는 마음을 가르쳐준다. 바이칼호에서 배운 이 교훈은 내 삶을 더욱 풍요롭게 만들었고, 나는 이제 두려움이 아닌 호기심으로 새로운 여행을 계획한다.

이 글을 통해, 나는 바이칼호에서 느꼈던 감동을 여러분에게 전달하고자 한다. 이 웅장한 호수의 아름다움을 직접 경험해 보시길 바란다. 세상은 넓고, 우리는 그 안에서 작은 존재일지라도, 각자의 여정을 통해 큰 발견을 할 수 있다. 바이칼호가 여러분에게도 인생을 바라보는 새로운 시각을 제공하기를 바란다.

- 안가라강의 강렬한 울림

하늘을 가르는 햇살 아래, 안가라강의 힘찬 물소리가 내 마음을 파고들었다. 삶의 여러 위협에 직면했을 때, 강인한 강물 속에서 나는 위안을 발견했다. 그 끊임없이 밀려오는 물결은 내가 아직 살아있음을, 계속해서 살아가야 함을 상기시켜주었다.

안가라강을 따라 걸으면, 강물이 조용히 흐르는 곳, 거센 물결이 충돌하는 곳, 조그마한 산천이 만나 큰 강이 되는 곳 등 다양한 모습을 보여준다. 이러한 강의 다양한 풍경은 마치 내 삶의 여정과도 같았다. 때로는 부드럽게, 때로는 거칠게, 그리고 때로는 새로운 만남을 통해 더 큰 힘을 얻으며 삶은 계속된다.

안가라강의 물소리를 들으며 나는 삶의 전환점들을 되돌아보았다. 위협을 느꼈던 순간들, 어떻게 버텼는지, 어떻게 이겨냈는지를 생각했다. 그것은 나 혼자의 힘만으로 이루어진 것이 아니었다. 다른 사람들의 도움과 나를 사랑하는 사람들의 응원이 있었기에 가능했다.

안가라강의 힘찬 물소리는 내가 그 어려움을 극복해 나갈 수 있었던 힘과 용기를 상기시켜주었다. 그것은 나의 힘이었고, 동시에 나를 둘러싼 사람들의 사랑과 지지였다. 이 강인한 물소리는 나에게 희망의 메시지였다. 어떤 어려움도 이겨낼 수 있음을, 그리고 삶은 계속된다는 것을 상기시켜주는 소리였다.

안가라강 주변을 걷다 보면, 자연의 풍경뿐만 아니라 강물이 조용히 흐르는 곳에서는 사색의 여유를, 거센 물결이 충돌하는 곳에서는 삶의 도전을, 그리고 강이 만나 더욱 크고 강해지는 지점에서는 새로운 시작을 느낄 수 있다.

이러한 경험은 내게 삶의 중요한 교훈을 가르쳐주었다. 삶의 가치를 알고, 그 가치에 감사해야 한다는 것이다. 안가라강의 물소리와 함께 한 순간들은 내게 더욱 풍요롭고, 의미 있는 삶을 살아가는 데 큰 도움이 되었다.

이처럼 안가라강의 웅장한 풍경과 강렬한 물소리는 단순한 자연의 아름다움을 넘어서, 삶의 깊은 의미를 되새기게 해준다. 이 강인한 강을 따라가며 느낀 점은, 어떤 어려움이 닥치더라도 그것을 극복하고, 삶을 즐기는 힘과 용기를 얻을 수 있음을 확신하게 해준다.

앞으로도 안가라강처럼 힘찬 물소리를 들을 때마다, 나는 그 소리를 통해 얻은 교훈을 떠올리며, 더욱 단단하고 의미 있는 삶을 살아갈 것이다. 이것이 바로 안가라강에서 느낀 깊은 감동과 인상이며, 이 감동을 여러분과 나누고 싶다. 여러분도 언젠가 이 웅장한 강의 소리를 직접 듣고, 그 강력한 메시지를 경험해 보시길 바란다.

이르쿠츠크의 마법: 시간을 초월한 시베리아의 여정

- 이르쿠츠크, 시베리아의 숨은 진주

이르쿠츠크의 첫인상은 유럽풍 건축물의 고요함과 엄숙함이었다. 이 낯선 도시의 풍경은 마치 과거 유럽의 어느 작은 마을에 온 것 같은 느낌을 주었다. 이 건물들은 내가 겪었던 삶의 위협을 잠시 잊게 해주었고, 동경했던 바였는지 익숙한 풍경으로 다가왔다.

이르쿠츠크는 '시베리아의 파리'라고도 불린다. 도시 곳곳에 자리 잡은 역사적 건축물과 그 독특한 양식은 이곳이 단순한 러시아 도시가 아니라, 깊은 역사와 문화가 숨 쉬는 곳임을 말해준다. 러시아 대문호 톨스토이의 '전쟁과 평화'에 영감을 준 '제까브리스트 박물관'과 시베리아에서 가장 오래된 석조 건축물인 '스파스카야 교회'는 이 도시의 역사적 중요성을 더욱 드러내고 있다.

이곳의 풍경은 내게 새로운 희망을 불어넣었다. 평화롭고 아름다운 이르쿠츠크의 모습은 캔버스에 그려진 그림처럼, 영화 한 편처럼 느껴졌다. 이러한 풍경은 나뿐만 아니라 다른 방문객들에게도 새로운 생명력을 불어넣어 주며, 삶의 위협과 일상의 번잡함을 잊게 할 것 같다.

이르쿠츠크에서의 경험은 나에게 인생이 어떠한 위협에도 굴하지 않는 강력함을 가지고 있음을 보여주었다. 이국땅에 묻혀 있는 고려인의 묘지, 그리스정교회의 성전 건물, 레닌 동상, 젊은이들의 자유로움 등 이국적 풍경과 그것들이 담고 있는 가치로 인해 이 여행을 통해 삶의 소중함을 다시 한번 깨닫게 되었다. 내 인생이 끝나기 전에 무엇을 체험해야 하는지도 깨닫고, 삶에 대한 새로운 이해와 감사함을 느낄 수 있었다.

유배지였다는 이 도시는 그 자체로 하나의 역사이며, 거듭 얘기하지만 여기서 살아 숨을 쉬는 사람들과 그들의 삶은 이곳을 방문하는 모든 이들에게 깊은 인상을 남긴다. 이르쿠츠크의 건축물과 풍경, 귀족 혁명 등의 그 안에서 살아가는 사람들의 이야기는 이곳을 방문하는 이들에게 잊을 수 없는 경험을 선사한다.

이르쿠츠크를 보니 더 살고 싶어졌다. 더 넓은 세계를 탐험하고, 새로운 모험을 즐기는 용기를 갖게 했다. 이르쿠츠크의 매력은 그곳의 역사와 문화, 그리고 자연이 조화를 이루는 아름다움에서 비롯된다. 이것이 바로 러시아, 이르쿠츠크 여행의 진정한 가치이며, 이곳을 방문한 모든 이들에게 깊은 감동과 새로운 통찰을 제공한다.

- 경계에 선 순간: 예상치 못한 도전

러시아 여행의 시작은 공항에서부터 예상치 못한 도전으로 다가왔다. 입국을 할 수 없었던 그 순간, 나는 불안과 공포에 휩싸였다. 북한과 소련의 이미지만 가득했던 공산권 국가에서의 첫 경험이었기 때문이다. 내가 완전히 낯선 이국에서 혼자 남겨질 수도 있다는 두려움에 떨었다. 여권 사진과 실제 모습의 차이로 인해 입국이 거부되었을 때, 나는 어떻게 대처해야 할지 몰랐다. 영어도 한국어도 통하지 않는 곳에서, 나의 의사를 표현할 수 없다는 것은 막막함 그 자체였다. 그러나 그 어려움 속에서도 중요한 교훈을 얻었다.

누구나 경험하지 못한 일을 당하면 두려움이 먼저 앞선다는 것이다. 무엇을 감당해야 할지, 어떻게 해야 할지 몰라 망설임에 빠졌지만, 그 순간 내가 진정한 여행작가임을 깨달았다. 새로운 세계를 만나고, 그곳의 문화와 사람들을 이해하고자 하는 책임감이 나를 침착하게 만들었다.

그래서 용기를 내어 모든 불안을 극복할 수 있었다. 두려움을 이겨내고 진정시킨 후, 나는 마침내 러시아의 아름다운 땅을 밟을 수 있었다. 그 순간, 진정한 여행작가로서의 모습을 나에게서 볼 수 있었다. 그런데 지금도 의문이 든다. 아무리 서양인들이지만 '동양인의 긴 머리와 짧은 머리가 그렇게 구분이 안 된다는 것이 진실일까?' 라고 하는 생각 말이다. 장난기가 슬슬 발동한다.

어찌 되었든, 그 경험은 나를 더욱 강한 여행작가로 성장하게 했다. 어려움을 이겨내고 나서, 나는 더 자주 여행 경험을 쌓았고, 그 경험은 나의 글과 삶 속에서 보석처럼 반짝이며 독자들에게 다가가게 해주고 있다. 그것은 독자들에게 나의 진심을 전달하고, 새로운 세계의 문을 열어주는 열쇠가 되고 있다. 전하고 싶은 얘기가 너무 많지만, 지면이 부족해 끝내야겠다.

나의 여행은 아직 끝나지 않았다. 계속해서 새로운 도전을 향해 나아가고 있으며, 그 도전을 통해 더 많은 사람에게 내 여행의 감동을 전달할 것이다. 마지막이라 생각했던 지점에서 살고자 발버둥을 쳤던 것이 러시아 여행의 시작이었다. 그것이 바로 나의 여행이자, 내 글쓰기에서 표현하고자 하는 핵심 메시지이다. 나는 여행작가, 명강사, 명강연자로 독자들에게 새로운 세계를 소개하고, 그들이 그곳을 직접 경험한 것처럼 느끼게 하는 것이 내 역할임을 확신한다.

유종숙

regnant.js2@gmail.com

Insight나루 대표

한국출판지도사협회 부회장 겸 경기화성·오산 지부장

전) 수원외국인복지센터 소속 한국어 강사

전) 국방부 병 집중인성교육(2016~2023년) 수석강사

전) 문체부, 국방부 장병독서코칭 강사

글쓰기, 책 쓰기 강사

에니어그램상담심리 전문가

"과거를 알지 못하는 자,
미래를 준비할 수 없다."
- 에드먼드 버크 -

수원화성,
보물 제1709호 방화수류정:
시대를 넘나드는 여정

수원화성 성곽길 따라 걷는 산책로,
그리고 방화수류정

TRAVEL

대부분 누군가는 이곳 수원화성을 유적지 탐방과 관광을 목적으로 찾아온다. 이전의 나의 여행은 그저 신났고 즐거움으로 들뜨고, 여행지에 대한 설렘과 기대를 하고 늘 길을 떠났었다.

그 안에서 생기는 소소한 감정 충돌도 여행에서 오는 여유로움으로 이해하고 좋았다.

지금은? 그전에 먼저 내 마음을 들여다보기로 했다. 나는 왜? 여행지로 수원화성의 성곽길과 방화수류정을 택한 걸까? 과거, 그곳에서 그래도 세상 좋았던 감정을 되살리고 싶어서일까? 지나간 역사 속에서 나를 재발견하고 싶은 마음이었을까?

2024년 올해 준비도 안 된 나에게 갑자기 닥친, 기존의 일들에서 내려와야 하는 당혹감, 좌절과 절망, 가족에게 아무렇지 않은 듯 표현하지는 않았지만, 몸이 말해주고 있었다. 한 번도 경험해보지 않았던 가려운 증세로 잠을 이루지 못했다. 너무 가려워 긁으면 피부가 온통 싯벌겠고 두드러기처럼 일어났다. 주변 지인들에게 이야기하면 면역력이 떨어지고, 늙어서 노화란다. 그래서 견뎌보려고 했는데 딸이 내 말을 듣더니 병원에 데려다줬다. 의사에게 아는 척하며 "주변에서 그러는데 늙어서 면역력이 떨어져서 그렇다고 하더라고요."라고 하니 의사 선생님께서 "면역력이 떨어지면 대상포진이 옵니다." 그러면서 혹시 스트레스받은 일 있냐고 묻는다. 그때서야 '내가 스트레스를 받았구나!'를 느끼게 됐다. 내가 하는 일이 강의였기 때문에 아직 할 수 있다고 생각했다. 공식상으로는 연령 제한 없다고 했기에 프리랜서 강사로서 '스스로 버거울 때 내려와야지!'를 생각하고 살았는데…. 함께 했던 직원이 말하기를 "관장님이 바뀌면서 조직을 재정비하려는 마음으로 공고문을 냈으니 이력서를 내보세요."라고 해서 나이에 대한 불안감은 있었지만, 서류를 제출했는데 문자로 연락이 왔다. "능력과 역량은 탁월하신데 함께하지 못하게 되어 아쉽습니다!"라고 했다. 조마조마한 마음도 있었지만 '그래도 함께한 세월이 얼마인데, 설마….'라고 생각했던 기관에서 거절, 군 장병인성교육을 함께한 업체에서도 마찬가지, 돌아오는 대답은 "나이가…."

나의 도전정신과 의지와 열정과 관계없이 일어난 문제를 받아들여야 함에도 받아들이고 싶지 않은 마음이 있었나 보다. 머리로는 이해되었지만, 몸이 반응을 보였다.

이제 그 감정에서 벗어나 보려고, 그동안 내가 지탱해 오던 일을 내려놓고 또 다른 길을 선택해 가고자 조선 시대의 역사가 살아 숨쉬고 나의 짧은 추억의 흔적이 남아 있는 성곽길과 방화수류정을 통해서 복잡한 생각에서 벗어나고 위로받고 내려놓으려 나 혼자 지척에 있는 성곽길을 걸어보기로 마음먹고 집을 나섰다. 집에서 나와 버스 정류장에서 3번 버스를 타고 네 정거장째 내려 경기도지사 구 관사 길에서부터 약간 오름길 언덕을 올라 성곽길로 접어들었다.

경기도 [1]수원시 팔달구에 있는 조선 시대의 성곽으로 정식 명칭은 화성이고 별칭으로는 수원성으로 불린다. 1963년 1월 21일에 대한민국의 사적 제3호로 지정되었고 1997년 유네스코 세계문화유산에 등재되었다. 수원화성은 1794년(정조 18년) 2월에 착공하여 1796년

1) 네이버 지식백과

에 축성된 것으로, 성곽의 총길이 5.74km에 달한다. 수원화성의 성곽길은 230년 전 조선 시대의 이야기를 담고 있으며, 일제 강점기와 6.25 전쟁으로 망가진 성벽을 1979년 복원하였고 그 시대 역사의 숨결을 느낄 수 있다.

성곽을 따라 걸으며 끝이 보이지 않은 성곽, 언덕에 펼쳐진 푸른 풀밭, 소나무, 아이를 데리고 성곽을 도는 부모님들, 즐겁게 깡충깡충 뛰는 모습도 마냥 사랑스럽고, 가족들의 나들이와 젊은 청춘들이 언덕 풀밭에 앉아 컵에 담긴 떡볶이며, 컵라면, 치킨을 먹는 즐거움에 빠져 마냥 행복한 모습에 나도 덩달아 입가에 미소를 띠었다. 언덕의 풀밭이 있어 풍경이 여유로워 보였고 자연 휴식 공간으로도 훌륭하였다.

수원화성 성곽 시설 중 돌출된 부분이 있는데 이는 성곽에서 바깥쪽으로 돌출된 구조물로 동2포루는 [2]봉돈. 남쪽 치성 위에 군사들이 머물 수 있도록 누각을 지은 시설이다. 치성은 성벽 일부를 돌출시켜 적을 감시하고 공격할 수 있도록 만든 시설물이다. 화성에는 모두 15곳의 치성이 있는데 그중 중요한 5곳의 치성 위에 동1포루, 동2포루, 서포루, 북포루, 동북포루를 만들고 적의 동향을 감시했다. 동1포루, 동2포루는 사방이 개방된 구조이다.

---

2) 봉화 연기를 올려 신호를 보내는 시설

유적지로의 화성 관광지로의 화성, 역사 속으로 들어가다

성곽을 돌다 보면 치성과 포루에 대해 몇 년에 창건하고, 복원하였는지 안내판에 잘 설명해 주고 있다.

치(雉)는 한자로 꿩을 의미하는데 꿩은 몸을 잘 숨기고 엿보기를 잘하는 특성이 있어 치(雉)라는 이름이 붙였다고 한다.

효심과 애민 정신이 지극한 정조대왕의 숨결을 따라 화서문을 지나, 서울에서 화성으로 입성할 때의 첫 관문인 장안문을 통과하고 각 치성과 포루를 구경하며 걷다 보니 어느새 일곱 칸의 수문으로 알려진, 돌 위에 누각을 지은 화홍문을 지나 드디어 방화수류정에 도착하였다.

기대와 달리 방화수류정은 '수원화성 방화수류정 보호와 관람객의 안전을 위하여 보수 예정입니다. 기간: 2022.12월 ~ 문화재 안전 확보 시까지'라는 안내문으로 막아놓은 상태이고, 아쉽게도 방화수류정에 앉아 용연을 내려다보는 낭만적이고 고풍스러운 운치는 느껴보지 못하였다. 문화관광해설사가 단체관광객들에서 들려주는 설명을 귀동냥으로 들으니 "방화수류정은 사람들이 물레방아라고 생각하는데 원래 뜻은 꽃을 찾고 버드나무를 따라 노닌다"라는 뜻이라고 한다. 나도 설명하는 과정에서 알게 되었다.

방화수류정의 본질은 감시용 군사지휘소였고, 수원화성의 중요한 군사적 요충지로 성곽의 가장 높은 지점에 자리 잡고 있어 외적의 침입을 감시하는 데 중요한 역할을 했다. 정조 또한 이 누각을 극진히 사랑했다고 한다. 매년 화성을 들렀던 정조는 행궁에서 방화수류정으로 산책하면서 화성 축성의 성과인 북녘 만석거의 너른 논밭과 도심지 풍경을 흐뭇하게 감상하곤 했다고 한다.

[3]1795년 혜경궁 홍씨의 화성 회갑연 때 문헌 기록을 보면 그는 방화수류정에 올라 화성 풍경을 굽어보며 방어에 편한 화성 성곽 제도의 우수성을 자화자찬한다. 화성에 대한 높은 자부심을 털어놓은 것이다. 1797년 정월 군복을 입고 누각 층계에 올라가 화살을 쏜 뒤 정조가 남긴 시는 묵향 어린 방화수류정은 풍류의 백미라 할 만하다.

조선 시대의 왕조의 위엄과 화려하지도 않고, 견고하고 섬세한 정자의 매력은 위에서 내려다보이는 버들가지 휘늘어진 용연과 화홍문이다.

[4]용연은 방화수류정 밖 용머리 바위 아래에 주변의 아름다운 자연의 풍경을 살려 연못을 파고 작은 섬을 만들어 용연이라고 하였다. 가뭄이 들었을 때 기우제를 지냈다고 한다. 용연은 남쪽 가파른 언덕 위에 있는 방화수류정과 어우러져 경치가 아름다운 곳으로 알려졌다.

나는 예전에 방문했던 그때 그 기억을 되짚어 보며 그날 일을 떠올렸다. 비 오는 밤 정자에 앉아 조명에 반사되는 비가 마치 눈가루를 흩뿌려 놓은 듯해 황홀한 아름다움을 빠졌었던 추억을 떠올리며 방화수류정의 아름다움과 역사적 가치를 체험하며, 수원 시민의 자긍심이자 한국의 중요한 문화유산으로 자리 잡고 있음을 다시금 깨닫게 되었다.

---

3) www.hani.co.kr 기자 노형석
4) 네이버 지식백과

방화수류정 정자에 못 들어감을 못내 아쉬워하며, 창룡문까지 갔다가 돌아올 때 용연에서 방화수류정을 바라보는 야경을 찍어야겠다는 마음으로 국궁장으로 향했다. 수원화성은 성곽 곳곳에 조명시설을 설치해 야경명소로 낮과 밤의 또 다른 매력을 느낄 수 있는 곳이다. 가는 도중에 또 다른 단체를 데리고 다니며 설명하시는 문화관광해설사분이 암문에 관해 설명하고 있었다.

암문이란 깊숙하고 후미진 곳에 설치하여 적이 모르게 출입하거나 군수품을 조달하던 문으로 눈에 띄지 않도록 검은 벽돌을 사용했다는, 귀동냥으로 해설가의 설명을 들었다. 오늘 왠지 귀동냥으로 들은 이야기들이 문화적 지식을 하나 더 얻는 듯하였다.

연무대 국궁장은 조선 시대의 군사들이 활쏘기를 연습하던 곳으로 조선 시대 무예의 중심지 중 하나였다. 국궁장에 도착하여 주변을 보니 2017년 와 봤던 그때 그대로인 것 같았다. 2017년 이곳에 베트남 대사관 직원들을 데려와 활쏘기를 체험했던 기억과 외국인 근로자 학생들에게 활쏘기와 화성어차를 타고 행궁에 도착해서 문화체험을 시켰던 기억들이 나면서 그 친구들은 지금 어떻게 사는지, 나에게는 그때가 즐겁고 행복한 시간이었었다. 그 당시 활을 쏘려면 줄을 길게 늘어서서 기다려야 할 정도로 이곳은 국궁을 체험하려는 사람들로 붐빈 곳이었는데, 늦은 시간이라 그런지 국궁장이 텅 비어 있었다.

국궁장 길 건너편 창룡문의 풀밭에는 연을 날리는 사람들이 꽤 있었다. 연들이 화려하다. 자기 몸보다 두 세배 큰 연을 날리는 사람도 있었다. 서로 높이높이 오르려 뽐을 내며 각양각색의 연들이 하늘을 날고 있었다. 평화로워 보였다. 보는 내내 흡족한 표정을 지으며 바라보고 있는 나를 발견하며 집을 나설 때와 지금의 내 감정이 변화를 느끼고 있다는 것을 인지했다.

연무대를 둘러보고 다시 방화수류정으로 돌아오는 길, 나는 수원화성이 겪었던 그 시대를 살다 갔던 백성들과 역사적 변화를 떠올렸다. 일제 강점기와 6.25를 겪으며 그들은 어떤 고통을 하소연하였을까? 하나하나 성곽을 쌓던 일꾼들은 어떤 마음으로 이 성을 쌓았을까? 백성들의 손때가 우리에게까지 전해진다는 것을 알았을까?

일부러 야경을 찍고자 집에서 저녁 6시 30분에 출발하여 1시간 30분 정도를 걸었는데도 아직 밖은 그리 어둡지 않았다. 국궁장에서 내려오면서 조명이 켜지길 바라며 내려오는데 드디어 성곽 주변에 설치된 조명들이 들어와 성벽의 웅장함과 화려함이 돋보이게 드러났다. 일부 시민들은 환호성을 질렀다. 이제 용연으로 발걸음을 옮겨, 방화수류정을 배경으로 사진에 담을 수 있었다.

방화수류정 아래 위치한 용연에 도착했을 때, 그 화려함과 웅장함에 넋을 놓고 방화수류정을 올려다보았다. 많은 사람이 이 아름다운 풍경을 보려고 용연은 사람들로 꽉 메워지고 있었다. 사진작가들은 받침대에 카메라를 안착시키며 어느 곳에서 사진을 찍으면 잘 나오는지 알고, 자리를 잡고 카메라에 전체를 담으려 이리저리 돌려가며 사진을 연신 찍고 있었다. 역사 현장을 통해 현재와 미래 세대에게까지 교훈과 영감을 주는 곳임을 깊이 느꼈다. 방화수류정은 수원화성의 자랑이자 낭만의 보석이다. 이곳을 방문하는 사람마다 문제들이 사라지고 마음속의 평온과 역사 속에서 깨닫는 지혜가 오늘을 살아가는 데 큰 힘을 되기를 바란다.

과거와 현재를 잇는 그곳에서
미래를 바라보다

TRAVEL

방화수류정에서 시간을 보내고 버스를 타러 장안문으로 걸어가는 길, 다시금 그 장소가 나에게 주는 감동이 밀려온다. 청소년 글로벌센터 건너편 버스 정류장에서 내려, 그곳에서부터 출발해서 성곽을 따라 언덕길을 걸으며 과거로의 발걸음에서 다시 현재로 돌아오는 여정은 마치 타임머신을 타고 시간 여행을 다녀온 듯한 느낌을 주었다.

방화수류정과 수원화성 전체가 간직한 역사를 느끼며, 그들의 누군가도 나와 똑같은 일은 아닐지라도 비슷한 경험을 겪고 이겨냈을 것이다. 세상을 살다 간 선조들에 대한 무한한 이어짐을 느끼며 마음의 자세를 다시 잡고 새로운 변화 속으로 성큼 다가가기로 마음먹었다. 이곳은 아직도 살아 움직이는 교육의 현장임을 다시 한번 실감했다.

찬란한 역사가 지금까지도 살아 숨 쉬는 공간에서 우리는 과거와 현재, 그리고 미래도 서로 연결되어 이어간다는 것을 깨닫는다. 역사는 현재의 우리와 끊임없이 대화하며, 우리가 나아갈 길을 밝혀준다. 수원화성, 방화수류정에서의 체험은 이러한 교훈을 생생하게 알게 해준다. 이 장소는 우리에게 과거의 사람들이 어떻게 삶을 이해하고 세상을 바라보았는지를 보여주며, 그 지혜를 오늘날의 삶에 어떻게 적용할 수 있을지를 고민하게 만든다.

이 글을 읽는 독자 여러분, 우리의 삶은 그리 녹록하지만은 않다. 그 어떤 삶을 살아가더라도 '총량의 법칙', '행복총량의 법칙' '불행총량의 법칙' 누구나 장애물이나 고난이 온다. 그것을 어떻게 대처하고 어떻게 해결하느냐는 본인의 의지나 그것을 처리하는 행동에 달렸다.

이번 방화수류정과 수원화성의 여정을 통해, 나는 나의 삶을 되돌아 보는 계기가 되었다. 수원화성 성곽 산책길을 통해 다시금 깨닫게 된 것은 '주어진 삶에 순응하며 받아들이고, 어떤 일이든 최선을 다하고 결과는 감사하며 받아들이자!'이다.

우리 모두 끊임없이 배우고, 성장하며, 미래를 설계할 수 있는 귀중한 통찰을 역사 속에서 깨닫기를 바란다. 역사는 우리가 지나온 길을 기록하는 것뿐만 아니라, 앞으로 나아갈 방향을 제시하는 나침반과도 같다.

"인류의 역사는 도전과 응전의 역사"라는 명언을 남긴 영국의 역사학자 '아놀드 토인비'는 '도전과 응전'을 설명할 때 청어 이야기를 자주 인용했다고 한다.

'토인비'는 인류의 역사를 도전과 응전의 과정으로 보았다. 도전에 효과적으로 응전했던 민족은 살아남았지만, 그렇지 못한 문명은 소멸한다. '토인비'가 청어 이야기를 자주 인용한 것은 가혹하고 고통스러운 환경이 문명을 낳고 인류를 발전시키는 원동력이었다는 자신의 역사 이론을 전달하고 싶었기 때문이다. 이를 '청어의 법칙' 또는 '메기의 법칙'이라고도 부른다.

'토인비'가 자주 인용한 청어의 이야기를 해보려 한다.
북쪽 바다의 청어잡이 어부들은 북해에서 잡은 청어를 싱싱하게 살려서 실어 오는 것이 큰 숙제였다고 한다. 왜냐면 오는 도중에 죽기 때문에 살아있는 청어를 냉동시킬 수밖에 없었는데, 어떤 한 어부는 다른 어부와 달리 살아있는 청어를 부둣가에서 내리고 냉동 청어보다 두 세배 높은 가격에 팔아서 쏠쏠한 수익을 올리고 있었다. 주변 어부들은 너무 궁금해 비결이 뭐냐고 물었고 설득 끝에 말한 어부의 말은 "수조에 메기 몇 마리 잡아넣으세요."였다.

그 어부가 시킨 대로 한 다른 어부는 긴 여정을 끝나고 배가 항구에 도착하자 어부들은 깜짝 놀랐다. 청어들이 죽지 않고 살아 있는 것이었다. 메기는 이미 청어 몇 마리는 잡아먹었고 나머지 청어들은 계속 긴장하고 지속해서 움직이고 있었다.

고난 속에 괴로워하고 있는가?

가끔은 고난의 공간에서 벗어나 여행을 떠나보기를 권한다. 낯선 곳에서 환경은 나에게 긴장도 주지만 또한 나의 에너지를 충전시키는 계기를 만들 수 있다.

고난이 있는 곳에 머물러 고민하지 말고 훌쩍 떠나라!

그러면 문제로부터 더 나아짐을 느낄 것이다!

이영미

dra001@naver.com

출판지도사, 책쓰기 강사, 인문학 강사
한국지식문화원 대표강사
한국출판지도사협회 부회장
한국작가협회 정회원
KCN뉴스 취재부장

"여행의 목적은
특정의 장소가 아니라,
사물을 바라 보는
새로운 시각이다."
- <북회귀선> 헨리 밀런 -

작가가 되고 싶다면
여행작가가 되자

장소에 머무는 것만이 여행이 아니다

'여행작가'라고 하면 이곳, 저곳을 많이 다닌 사람이라는 선입견이 있다. 그런데 여행작가가 되려면 꼭 집을 떠나 다른 장소에 가야만 할까? 남들 다 가는 유명한 관광지를 가야만 여행이라고 할 수 있는 걸까?

이미 40개국을 여행하였고, 외국어와 외국 문화에 대한 학사 및 석사학위도 가지고 있고, 그리고 여행 공저를 세 권이나 출간하였다. 그러나 나의 여행 경험을 담아 출간한 책에는 흔히들 "죽기 전에" 혹은 "꼭" 가봐야 하는 곳이나, "반드시" 먹어봐야 하는 것이나, "무조건" 해봐야 하는 것은 없다. 베스트셀러 여행작가이자, "생애 첫 여행작가 되기" 책쓰기 강의를 하는 강사 이영미가 생각하는 여행은 어느 특정 장소에 머무르지 않기 때문이다.

시절인연(時節因緣)이란 말이 있다. '時(시 시) 시간, 때, 節(마디 절) 계절, 시기, 因(인할 인) 원인, 까닭, 緣(인연 연) 인연, 묶다'의 네 단어가 모여 만들어진 말이다. 한국민족문화대백과사전에 의하면 불교에서 유래한 용어로, 모든 인연에는 적절한 시기가 있으며 그 시기에 맞는 인연이 찾아온다는 의미로 해석할 수도 있겠다. 중국 명나라 말기 항주 운서산에 기거한 승려 운서주굉(雲棲株宏: 1535~1615)이 조사법어(祖師法語)를 모아 편찬한 『선관책진(禪關策進)』에, "시절인연이 도래(到來)하면 자연히 부딪혀 깨쳐서 소리가 나듯 척척 들어맞으며 곧장 깨어나 나가게 된다"라는 구절에서 나왔다. 요새 말로 타이밍이라 할 수도 있겠다. 그 시간에 그 장소에 그 상황에 그 사람과 함께. (참고로 조사법어란 불교의 한 종파를 세운 조사(祖師) 혹은 고승(高僧) 등이 부처의 가르침을 간결하게 표현한 문장이다)

사람이든 시간이든 장소든 상황이든, 모든 것은 그 나름의 이야기가 있다. 그 이야기를 관심과 애정을 가지고 들여다보면 또한 서로 깊이 연결되어 있다. 이것이 바로 "시절인연"이 아니겠는가. 각자가 가진 이야기를 알고 싶었고, 알게 된 것을 나누기 위해 책을 썼을 뿐인데 여행작가가 되었다. 그리고 베스트셀러 작가가 되었다.

자기만의 인생 여행 이야기를 꺼내어 써보자. 이야기가 있다면 당신은 이미 작가다. 여행작가가 된다.

삶을 유쾌하게 바꾸는 인생 사용법

TRAVEL

처음 책쓰기를 결심한 이유는 다른 많은 이들과 같이 막연히 작가가 되고 싶었기 때문이다. 그런데 막상 쓰려고 보니 무엇을 써야 할지 난감했다. 평소에도 글쓰기는 하고 있었다. 일기와 블로그. 일기는 오랫동안 써와서 자신이 있었지만 남과 공유하기 위한 것이 아니었다. 블로그는 이웃들이 읽어주기를 바라면서 쓰지만, 호흡이 짧다. 책쓰기는 글쓰기와는 다른 영역이다. 호흡도 길기도 하고, 대가를 지불할 의지가 있는 독자를 대상으로 하기 때문이다.

그럼, 어떻게 써야 하는가? 쓰기는 말하기와는 너무 먼 영역이라고 생각한다. 그러나, 여러 유명한 작가는 "말하듯이 자연스럽게 쓰라"라고 조언한다. 『대통령의 글쓰기』로 유명한 강원국 작가는 『말하듯이 써라』라는 제목의 책을 냈을 정도이다. 말하는 행위 또한 나만의 목소리와 리듬 등 다른 이들과는 다른 나만의 것이다. 나만의 방법으로 독자를 상대로 내 이야기를 들려주는 것이다. 내가 가장 잘 아는 나의 이야기를 듣고 싶어 하는 이들에게 들려주는 것이다.

그렇다면 내가 제일 잘 알고 있는 것은 무엇일까? 내가 살아온 인생 여정일 것이다. 순간이 한 걸음이다. 그것이 바로 흔히들 "인생은 여행"이라 부르는 이유일 것이고, 그 인생은 다른 이는 알려고 해도 알 수 없다. 내가 아니면 아무도 쓸 수 없는 이야기이고, 또 다른 내가 아니면 절대로 표절이 될 수 없는 것이다. 그래서 여행 경험을 쓰기 시작했고, 첫 번째 공저가 출간된 후 불과 5개월이 지났을 뿐인데 벌써 네 권의 공저 도서를 출간하였다. 어떤 주제와 내용도 내가 가장 잘 아는 내가 살아온 이야기이기 때문에 짧은 기간 내 다작을 할 수 있었다.

책쓰기 시작 후 6개월 내 출간된 4권의 공저. 교보문고 등 인터넷 서점에서 구매할 수 있음.

가장 최근 출간된 도서 『지금 떠나면 행복해집니다』는 출간되자마자 교보문고 분야별 베스트셀러 1위에 올랐고, 이후 한 달간 베스트셀러 1위 자리를 지켰다. 덕분에 데뷔한 지 1년도 되지 않아 베스트셀러 작가가 된 것이다. 내가 살아온 이야기를 쓴 건데 베스트셀러라니, 내 인생에 너무 유쾌한 일이 아닌가!

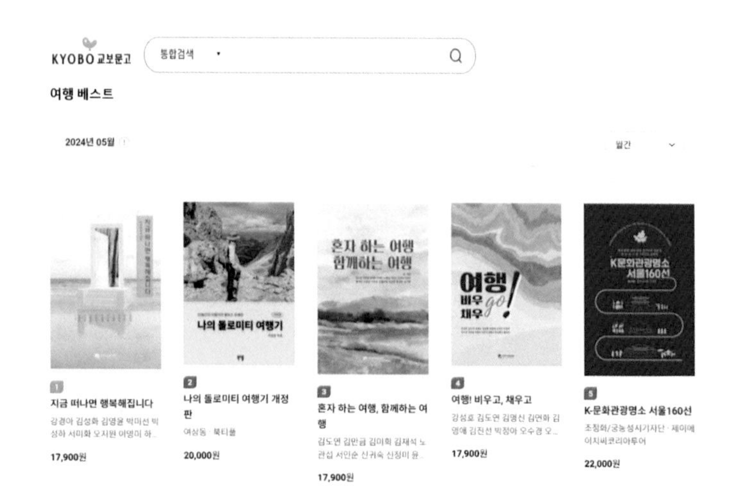

2024년 5월 한 달 동안 베스트셀러 1위를 한『지금 떠나면 행복해집니다』(출처 : 교보문고)

말은 인생을 쓰라고 했지만, 이렇게 짧은 시간 안에 여러 권의 책으로 낼 만한 글감을 어떻게 찾는가에 관한 질문을 종종 받는다. 질문에 대한 답으로 앞에서 언급한 시절인연이라는 단어를 쓰지 않을 수가 없다. 그 모든 것이 시절인연이 아닐까. 과거와 현재를 이어주고, 거리가 멀어도 서로 신뢰가 있기에 연결되고, 세대가 바뀌어도 결국 현재의 나에게 돌아와서 깨달음을 주는 것이다. 우리네 인생 자체가 여행이다. 특정 장소로 이동하여 가는 것만이 여행이 아니다. 책을 쓰는 작가는 평소에도 글쓰기뿐 아니라 책쓰기를 계속해야 한다. 내 일상을 포함한 삶 전체가 여행이니 글감은 마치 항상 주머니에 있어서 쓰려고 할 때 꺼내기만 하면 된다.

작가를 꿈꾸지만 무엇을 써야 할지 모르겠다면, 인생을 돌아보며 나만의 인생 이야기를 써보는 것은 어떨까? 주머니에 항상 가지고 있는 시절인연의 이야기를 꺼내어 글로 써보자. 이영미 강사가 진행하는 여행 인문학 강의가 여행에 대한 관점을 바꾸는 데 도움이 될 것이다. 여행 인문학은 총 4회로 진행되며 여행작가 공저를 하기 전에 수강한다면 책쓰기에 많은 도움이 될 것이다. 여행 인문학 강의는 아래와 같이 진행된다.

1회차 - 당신에게 있어 여행이란?
· 다녀온 장소가 추억이 되는 여행
· 머문 시간이 추억이 되는 여행
· 같이 한 사람이 추억이 되는 여행
2회차 - 시절인연으로 재구성하면 같은 여행도 다른 이야기가 된다.
· 장소와 장소의 시절인연 : 모아이, 태평양을 가로지른 우정
· 과거와 현재의 시절인연 : 가고시마는 어떻게 메이지 유신의 고향이 되었는가?
· 사람과 사람의 시절인연 : 두 개의 묘와 네 개의 유골함
3회차 - 가고 싶은 여행 계획을 짜보자.
4회차 - 경험을 나누는 특별한 방법, 여행작가 되기

2회차 강의 커리큘럼에서 소개하는 시절인연의 사례들은 이영미 작가가 이미 여행공저로 출간한 내용들을 포함하고 있다. 여행에 대한 관점을 바꾸는 연습에 도움이 되는 예가 될 것이다. 간략히 소개하자면, 다음과 같다.

장소와 장소의 시절인연 : 모아이, 태평양을 가로지른 우정

칠레 이스터섬에 있는 모아이 석상은 국립공원 안에 있으며 유네스코 문화유산이기 때문에 칠레 정부는 타국의 표절을 공식적으로 허용하지 않는다. 일본에 칠레 정부의 공식 허가를 받은 복제품이 있다. 과연 이 두 나라 사이에는 어떤 사정이 있었을까?

과거와 현재의 시절인연 : 가고시마는 어떻게 메이지 유신의 고향이 되었는가?

'교육은 백년지대계'라는 문구의 증거가 된 일본 남쪽의 소도시 가고시마에 관한 이야기다. 현재 일본 정·재계에 영향력 있는 인재 절반이 이 작은 도시 가고시마 출신이다. 어떻게 이런 일이 가능했을까? 일본 근대화 이전 쇄국의 시절, 한 군주의 결심으로 교육에 투자한 결과를 파헤쳐 본다. 과거와 현재를 연결하는 시절인연으로 이만한 예가 있을까?

사람과 사람의 시절인연 : 두 개의 묘와 네 개의 유골함

부모님께서 연로하여 더 이상 성묘를 할 수 없어 개장 후 수목장을 하였다. 친조부모와 외조부모가 합장된 두 개의 묘를 개장하여 네 개의 유골함이 되었다. 이 사건들을 계기로 사진 찍듯이 장면으로만 가지고 있었던 어릴 적 기억들이 생각났고, 현재의 나 자신을 돌아보게 한다.

시절인연에 관한 이야기는 사람마다 배경이 다르고 기억이 다르듯 무궁무진하다. 당신만의 시절인연을 꺼내어 여행작가가 되어 보자. 4권의 공저를 출판한 선배 작가로서, 누구든 자신의 인생이라는 여행 속 시절인연을 소재로 하여 생애 첫 출판작가로 거듭날 수 있도록 적극 도울 것이다.

여행작가 되기 공저 프로젝트는 총 8회 과정으로 진행되며, 마지막 8회차에는 출간된 책을 들고 출판기념회를 한다.

1회차 오리엔테이션 - 여행작가 이해, 공저 프로젝트 설명
2회차 집필 기획 - 집필 기획, 독자 설정, 주제 선정
3회차 제목, 목차 - 기획에 맞는 제목과 목차 설정
4회차 본문 전개 - 스토리라인, 인용, 주장, 집필
5회차 합본 합평 - 셀프 퇴고, 합본
6회차 교정, 조판, 디자인 - 최종 교정 교열 검수, 디자인 검수
7회차 출판 후 활동 이해 - 출판 마케팅, 대외활동, 수익화 이해
8회차 출판기념회 - 출판기념 북콘서트, 도서 수령 (증정본 각 1부)

10명의 작가가 참여한 베스트셀러 여행 도서 『지금 떠나면 행복해집니다』 출판기념 북콘서트

경험을 나누는
특별한 방법, 책쓰기

흔히 여행에 관한 책이라고 하면 정보전달 성격이 강한 여행안내서나 추억이 담긴 사진이나 시 등이 주를 이루는 서정적인 개인적인 수필로 크게 나눌 수 있을 것이다. 또한 온라인이든 오프라인이든 서점에서 여행책을 찾아보면 특정 지명이 제목을 장식하고 있다. 내용을 대표하는 목차를 보아도 그 지역에 대한 개요로 시작하여 꼭 들러야 하는 곳, 꼭 봐야 하는 곳, 꼭 먹어야 하는 것 등으로 구성되어 있다. 주로 사람들이 궁금해하는 유명한 지역을 기반으로 대리만족과 정보전달을 목적으로 하고 있다.

그러나, 여행이란 개인의 기억과 경험이다. 철저히 개인의 경험이다. 같은 곳을 가도, 같은 것을 먹어도, 같은 이동 수단을 이용해도 그것은 남과 다른 나만의 고유한 콘텐츠이다. 그래서 타인과 나누는 것은 가치가 있다. 앞서 언급한 것처럼 굳이 장소를 이동하지 않아도 여행을 할 수 있기 때문이다. 우리가 아직 모르는 수없이 많은 시절인연의 이야기들이 있다. 그래서 여행작가 이영미는 오늘도 나의 경험을 나누고 다른 이들의 서로 다른 경험과 기억을 꺼내어 나를 돌아보며 더 나은 삶을 지향하고자 한다.

나누기 위해서는 기억해야 하고, 기억은 기록해야 오래간다. 인생이라는 여행을 하는 여러분들의 기억 저편에 있는 추억들을 꺼내 보고, 휴대전화에 저장된 사진들을 다시 찾아보자. 이야기들이 떠오르는가? 내 이야기를 누군가에게 하고 싶어 가슴이 뛰는가? 그렇다면 당신은 이미 여행작가이다. 베스트셀러 여행작가이며 출판지도사 이영미 강사와 함께 꿈꾸던 여행작가가 되어 보는 건 어떨까?

N
E

이우자

leewjhappy@gmail.com

한국이혈상담학회 대표, 여행작가
한국지식문화원 대표강사
인생디자인 책쓰기 코치
한국출판지도사협회 부회장
KCN뉴스 기자, 취재부장
기관, 기업체 힐링건강 인문학강사,
취업. 창업 봉사활동 복지관 전문강사
치매예방, 감정코칭 강사
농어촌 활성화 사업,
각 단체 천주교, 불교. 개신교 연합회
노동부산하 산업 카운슬러등 교육 1,000 회 이상
KBS 시니어토크쇼 황금연못 자문단

"당신이 할 수 있는
가장 큰 모험은
당신이 꿈꾸는 삶을 사는 것이다."
-오프라 윈프리-

국경을 넘은 여행
서비스의 기적

여행 기술의 혁신:
국경 없는 환대

십몇 년 전 베트남으로 해외 강의를 떠났다. 국토순례단과 함께하는 프로그램이라서 쉽게 동행을 하기로 했다. 강의와 봉사활동 위주로 떠나는 여행이라 다른 여행과는 마음 자세가 달랐다. 강의 자료 준비를 철저히 한 후 보육원과 양로원 방문 시에 필요한 선물을 준비했다. 추진 단체에서 알아서 하니 나는 강의만 하면 되므로 어린이들에게 줄 학용품을 준비했다. 기다리던 날이 다가오니 왠지 마음이 설렌다.

이번 여행은 강의만 하는 게 아니고 봉사활동과 보육원 방문 일정까지 계획되어 있었다. 베트남, 처음 가보는 생소한 나라다. 비행기에서 내리니 한낮의 태양 빛이 뜨겁게 맞이했다. 이마와 콧등에 땀방울이 송골송골 맺힌다. 날씨가 너무 더워서 짐 옮기는 것도 힘이 들었다. 직접 겪으니 4계절이 있는 대한민국에 살고 있음에 감사한 생각이 들었다. 프로그램은 교민회에서 주최한 행사라서 부담이 되지 않았다.

도착 즉시 강의가 시작되어 마음이 바빴다.

강의장이 깔끔하고 정리가 잘 되어있었다. 동행한 젊은이가 강의할 수 있도록 호텔 측과 의논하여 노트북과 마이크 설치 등 강의에 필요한 준비를 빠르게 해주었다. 젊은 여성들이 모이기 시작하더니 금방 자리를 가득 메웠다. 베트남 말을 전혀 할 줄 모르니 고개를 끄덕이며 미소를 지었다. 그들도 나와 똑같은 인사만 할 뿐 말을 하지 않았다. 회장님과 임원들은 소통이 되었지만, 언어와 문화가 다른 사람들과 의사소통은 되지 않았다. 그러나 우린 이미 표정으로 하나가 된듯했다.

통역하는 분이 함께 나란히 섰다. 시간이 없어서 예행 연습 없이 그냥 진행했다. 내가 한마디 하면 어찌 그리 호흡이 척척 잘 맞는지 신기했다. 사전에 연습을 충분히 해도 이렇게 잘 맞을 수 없을 텐데 2시간 예정 시간이 지나 1시간을 더 넘길 정도로 질문과 응답이 이어졌다. 주최한 교민회에서도 크게 만족하는듯했다. 초대된 분들이 강의에 적극적으로 참여하며, 그들의 열정적인 반응에 나도 깊은 감명을 받았다. 호응도가 높았다. 교민회 행사 이래 3시간이 넘도록 한 명도 가지 않고 있기는 처음이란다. 대체로 기념 선물만 받고 30분이 지나면 하나둘씩 빠져나갔었는데 신기하단다.

기쁨과 희망 도전 보람을 안겨준 시간이었다. 개인 상담까지 하고 나니 3시간 30분이 지났다. 동행한 보조 강사 선생님이 상담 협력을 잘 해주셔서 힘이 들지 않았다. 강의 후 호텔에서 식사하고 교민회를 방문했다. 상명대 이혈연구소와 MOU 체결을 했다. 이번 여행은 단순히 새로운 곳에서 강의하고 아름다운 경치를 감상하는 것 이상의 의미가 있었다. 그곳에서 만나는 사람들, 그들과 나누는 이야기, 그리고 그곳의 문화와 생활 방식을 직접 체험하는 것이 진정한 여행의 가치였다.

현지인들의 삶의 애환을 가까이서 듣고 보니 그동안 국내 언론 방송에서만 봐왔던 베트남인들에 대한 좁은 식견을 바꾸는 계기가 되었다. 날씬하고 이쁜 미인들이 많았다. 나는 책임과 의무 인간의 가치를 중요시한다. 그리고 누군가를 위해 봉사하는 걸 좋아한다. 봉사활동을 시작한 지 사십 년이 되었다. 이혈 전문 강의와 봉사를 통해 가끔 해외여행을 떠났다. 여행은 언제나 기대감과 약간의 긴장감과 설렘으로 시작된다. 목적지로 향하는 비행기에 탑승하기 전까지는 짐을 싸고 포장하고, 일정을 확인하고, 모든 서류가 잘 갖춰져 있는지 확인하게 된다. 이것도 여행의 즐거움 중 하나이다. 강의 여행은 단순히 정보를 전달하는 것을 넘어서, 서로의 생각과 문화를 나누고, 이해하는 계기가 된다. 강의장 안팎에서 마주한 사람들의 열정적인 눈빛과 진지한 질문들은 큰 힘이 되었고, 그들의 배움에 대한 열정을 보며 더 나은 강사가 되고자 하는 동기를 부여받았다.

봉사활동은 인간애의 깊이를 체험하게 해준 소중한 시간이었다. 도움이 필요한 곳에서 손을 내밀고, 작은 힘이라도 보탤 수 있다는 사실은 나를 행복하게 했다. 현지인들의 일상으로 들어가 그들의 삶을 이해하고, 함께 문제를 해결해 나가는 과정은 큰 보람과 기쁨이 되었다.

강의와 봉사를 통해 겪었던 특별한 경험을 담았다. 각 나라에서 다양한 사람들과의 만남과 교류는 나의 삶을 더욱 풍요롭게 해주었고 그 순간들은 영원히 잊지 못할 기억으로 남았다.

이 글을 통해 독자 여러분도 특별한 경험을 함께 나누고, 여행의 참된 가치를 느낄 수 있기를 바란다. 여행작가로서의 여정은 끝이 없으며, 앞으로도 계속될 것이다. 그 여정 속에서 사람들과 만나고, 많은 이야기를 나누며, 함께 성장해 나갈 수 있기를 기대한다. 처음 해외 강연을 떠나는 날의 설렘은 말로 표현이 어렵다. 비행기에서 창밖을 내다보며, 앞으로 펼쳐질 새로운 경험들에 대한 기대감에 가슴이 벅찼다. 강의하게 될 첫 번째 도시는 베트남이었다. 도착하자마자 이국적인 풍경과 사람들의 따뜻한 미소가 반겨주었다.

강의실에 들어서자, 긴장감이 서서히 감싸기 시작했다. 낯선 환경, 그리고 나를 기다리는 수많은 눈빛. 하지만 그곳에 모인 사람들의 기대 어린 눈동자를 보며, 나는 오히려 큰 힘을 얻었다. 준비한 지식과 경험을 나누는 일은 단순히 정보전달이 아니었다. "라이 따이한"이라 불리는 그들은 베트남에서도 적국의 자식이라고 냉대받는다고 했다. 한국인들이 뿌리고 온 2세들인 것이다. 예절도 바르고 인사성도 있다. 양쪽에서 거두지 않는 그분들을 보며 내가 어떻게 해줄 수 있는 영역이 아니어서 안타까웠다. 그분들이 건강하고 행복하게 잘 살아가길 바라는 마음의 기도를 바쳤다.

통역을 통해 소통이 이뤄지는 강의는 또 다른 재미와 보람을 안겨주었다. 언어의 장벽을 넘어서, 서로 다른 문화와 생각이 만나 하나의 흐름을 이루는 순간들은 마법 같았다. 내가 말하는 동안 통역사는 신속하고 정확하게 내 말을 현지 언어로 옮겨주었고, 이를 통해 수강생들은 적극적으로 질문하고 토론에 참여했다. 강의 중간, 한 분이 손을 들고 질문을 했다. 그녀는 내 강의 내용에 깊은 관심을 보이며, 자신의 생각과 경험을 나눴다. 그녀의 눈빛은 열정으로 가득 차 있었고, 그 순간 나는 이곳에 오길 정말 잘했다는 생각이 들었다. 그녀의 질문은 강의를 더욱 풍부하게 만들었고, 나는 그녀의 열정에 답하기 위해 최선을 다했다.

강의가 끝난 후, 수강생들이 나에게 다가와 한국말로 "감사합니다. 사랑합니다."라며 감사의 인사를 전했다. 발음이 또렷하지 않은 그들의 말 한마디가 내 가슴을 뭉클하게 했다. 한 수강생은 조용히 다가와 이렇게 말했다. "선생님, 오늘 강의를 듣고 많은 도움이 되었습니다. 앞으로 더 열심히 공부해서 저도 누군가에게 도움이 되는 사람이 되고 싶습니다." 그 말은 나에게 큰 감동으로 다가왔다. 통역사가 전해 준 이 한마디가 톡 쏘는 사이다 맛 같았다.

이혈 전문 지식을 나누는 일은 단순한 전달이 아니라, 서로의 삶을 연결하고 건강하게 변화시킬 수 있는 강력한 힘을 가지고 있었다. 이혈 강의를 통해 만난 사람들, 그들과 나눈 이야기들은 내게 평생 잊지 못할 소중한 기억으로 남았다. 이 경험은 내가 더 많은 사람과 전문 지식을 나누고, 나은 세상을 만드는 데 기여하고 싶다는 다짐을 하게 만들었다.

봉사활동으로 얻은 소중한 선물

강의 외에 봉사활동에도 적극적으로 참여했다. 현지의 어려운 이웃을 돕기 위해 교육, 의료, 환경 정비 등 다양한 분야에서 활동했다. 이러한 경험들은 나의 여행을 특별하게 만들어주었고, 현지인들의 따뜻한 마음을 느낄 기회를 제공해 주었다.

이튿날 어느 작은 마을에 도착했을 때, 그곳의 뜨거운 태양과 열기가 나를 반겼다. 마을 사람들은 경제적으로 어려운 상황이었지만, 밝고 따뜻한 미소는 그 어떤 어려움도 잊게 했다. 첫 봉사활동은 남녀 어르신들이 모여 계시는 영노원이었다. 우리나라 시설과는 비교가 안 되는 낙후한 시설이었다. 이끼가 낀 펌프 물을 드시고 계셨다. 그분들은 순박했고 인정도 많았다. 방문한 우리에게 당신들이 드실 간식을 먹지 않고 내놓으셨다.

점심을 먹고 방문한 곳이라 배가 불렀지만, 정성을 사양하기 뭣해서 감자 하나를 받았다. 물도 귀해 보였는데 당신 컵에 부어서 자꾸 마시란다. 대학생과 고등학생은 팔다리를 주물러 드리는 마사지 분야를 맡았고 남자 봉사자들도 그게 손쉬우니 사람이 많은 그쪽 상담실로 몰렸다. 일부는 질서 정리를 하고 청소도 했다. 이혈 분야는 몰라서 그런지 서너 명밖에 없다. 익숙하게 많이 봐온 마사지 쪽에는 사람들이 줄을 서서 기다리고 있다.

여유가 있으니 귀를 정성껏 증후 분석했다. 마사지까지 충분히 해드린 후 귀 관리를 해 드렸다. 반응 효과는 빛의 속도로 퍼져나갔다. 통역이 없는 봉사활동이다. 언어가 안 통하니 무슨 말을 하는지 모르겠다. 2명 정도 했을 뿐인데 반대편 상담실 쪽에 빼곡히 모여 차례를 기다리던 어르신들이 뭐라 뭐라 하면서 슬금슬금 이혈 분야로 몰려들기 시작했다. 삽시간에 몇 줄이 되어 버렸다. 마사지 쪽엔 이제 한 명도 없다. 기이한 현상이 아니다. 오랜 현장 경험에서 본 현상이다.

이혈 테라피 효능을 익히 알고 있었고 현장 경험이 많은 활동이라서 이상한 현상도 아니었다. 문득 월드컵 경기장에서 시니어 코리아넷이라는 행사에서 큰 인기를 얻었던 일이 생각났다. 정부 대기업 자원봉사자 대회에서. 대기업도 아니고 평범한 개인이 사회복지회 봉사 단체로 참여했는데 최고의 인기와 주목을 받은 것이다. 이런 경험은 두고두고 잊지 못할 것이다. 그 넓은 광장에서 유독 많은 사람이 이혈 봉사단 부스로 몰려왔다.

30분 이상 대기하며 차례를 기다리고 있던 현장 체험 부스 누가 돈을 많이 준들 그렇게 열심히 할 수 있었을까? 이틀 동안 33명의 봉사자가 오전 오후 조를 짜서 참여했다. 본부 측에서 쉬어가며 하라지만 쉴 수가 없는 상황이었다. 대기업은 홍보부스 이혈 부스는 무료 봉사였다. 본부 측에서 쉬어가며 선물도 받고 구경하라지만 줄 세워 놓고 여유를 부릴 시간이 없었다. 결국 본부 측에서 봉사자들에게 나누어줄 선물을 챙겨 주었다. 이렇듯 성실한 이혈 봉사단은 어디서든 관심과 환대를 받았다.

다음날 보육원을 방문했는데 연령층이 다양했다. 기저귀를 갈아 주어야 할 어린 아기들도 있고, 난폭한 싸움을 하는 소년들도 있었다. 그 아이들의 난투극 싸움은 무서웠다. 정신이 이상한 아이가 막무가내 소리 지르며 친구들을 때린 것이었다. 책임자의 개입으로 그 아이가 분리된 후 조용해졌다. 똥 기저귀를 차고 아장아장 걷는 아이의 기저귀를 갈아 주니 방긋방긋 미소로 행복 에너지를 보낸다. 다리를 두 손으로 주물러주니 시원한가 보다. 떠날 시간이 되어 내려놓아야 하는데 안아 주고 보듬어 준 아기가 목을 끌어안고 떨어지려 하지 않는다. 큰 눈에 그렁그렁 고여있는 눈물의 의미가 내 마음에 전해진다. 한 번 더 꼭 보듬어 준 후 무거운 발걸음을 옮겼다.

봉사활동 중 해외 봉사활동은 잊히지 않는 활동이다. 발길 머문 곳마다 보람도 크고 의미도 다르다. 캄보디아 프놈펜 봉사활동은 정부 기관에서 공무원들이 기획한 해외 봉사였었다. 땀을 많이 흘린 만큼 보람도 컸다. 공무원 대학생 고등학생 일반 포함 32명이 차출되었는데 그중에 한 사람이 나였다. 한국의 불교 재단이 운영하는 학교에서 숙식하며 지냈다.

우리들의 일정표가 약간의 쉴 틈도 없이 짜였다. 이른 아침 식사 당번에서부터 마무리 설거지 식판을 깨끗이 정리하고 나면 하루 일정이 출근하듯 시작되었다. 컴퓨터 교실부터 도색을 했다. 여성들은 도색이 잘되도록 거친 부분을 깔끔하게 긁어냈다. 한 땀 한 땀 흘린 땀방울의 결실로 교실이 깨끗해졌다. 외부 활동 일정이 끝나면 아이들 저녁 식사를 챙겨 주고 틈틈이 딱딱한 진흙밭을 뒤집고 다져 정원을 만들었다. 크고 작은 나무와 꽃을 심으니 푸른 숲 정원이 생겼다. 처마 밑 계단에 앉아 구슬땀을 닦으며 바라보니 흐뭇했다. 내 생애 땀을 그렇게 많이 흘려 본 일은 없다. 옷이 흠뻑 젖어도 의미 있는 일을 하니 누구 하나 찌푸리는 사람도 없다. 햇빛에 익은 얼굴이 수줍은 새댁처럼 이뻐 보였다.

근처 전교생이 200명인 초등학교에도 우리가 머무는 곳에 전달해준 학용품과 옷을 전달했다. 이곳은 신발 없이 맨발로 다니며 아무 곳에서나 일을 보던 비위생 시설의 학교였다. 신발 신은 아이들이 가끔 보였다. 전달식을 끝내고 번듯한 화장실을 지어준 일은 두고두고 기쁜 추억으로 남았다. 국내에서 미장일을 해보신 분이 먼저 가서 화장실을 기본 틀을 만들어 놓아서 우리는 길을 만들고 건물에 페인트를 칠했다. 화장실 3칸을 페인트칠하는 일도 처음 해보는 일이라 어설펐지만 기쁜 마음으로 몇 번을 칠하니 요령도 생겼고 점점 예쁘고 멋진 건물로 바뀌었다. 흙을 파 와서 발로 밟고 다지니 번듯한 길도 생겼다. 구경하던 이웃 어른들과 전교생 아이들 모두가 환송하며 감사의 박수를 보내 주었다.

쓰레기 수거 캠페인을 펼쳤다. 오염된 우물가 하수로 마을 주변 작업은 고되고 힘들었지만, 모두가 한마음으로 노력하는 모습은 매우 인상적이었다. 특히 아이들이 적극적으로 참여하는 모습을 보며, 환경 보호의 중요성을 다음 세대에 전할 수 있다는 사실에 뿌듯함을 느꼈다. 봉사활동을 통해 만난 사람들은 모두 각자의 자리에서 최선을 다한다. 그들의 따뜻한 마음과 서로를 돕는 정신은 나에게 큰 감동을 주었다. 나는 그들과 함께 웃고 나누는 풍요로운 마음이 넉넉해서 참 좋다.

봉사활동을 통해 얻은 따뜻한 마음은 내 가슴속에 영원히 남아 있을 것이다. 그들과 함께한 시간은 소중한 추억이 되었고, 앞으로도 나는 그 마음을 잊지 않고 계속해서 봉사하고 나누는 삶을 살아가고 싶다. 이 세상에는 아직도 도움이 필요한 곳이 많고, 그곳에서 나는 또 다른 따뜻한 마음을 만날 것이다. 그 여정을 계속하며, 더 나은 세상을 만들기 위해 작은 힘을 보탤 것이다.

강의 여행 트렌드:
변화하는 세계에 적응하다

강의하고 자원봉사 활동하는 여정을 통해 내 삶은 풍요했고 사람들이 새로운 눈으로 세상을 보도록 공감대를 형성했다. 이런 활동을 통해 얻은 소중한 경험을 바탕으로, 나는 여행작가로서 소재가 많은 이야기를 나누게 되었다. 각기 다른 문화와 환경 속에서 만난 사람들과의 교류는 내 글 속에 생생하게 녹아들었고, 그 경험담은 많은 이들에게 영감을 줄 것이다.

여행작가로서의 경험은 단순히 글을 쓰는 것 이상의 의미를 지닌다. 각기 다른 문화와 환경 속에서 만난 사람들과의 교류를 통해, 나는 그들의 삶을 깊이 이해하게 되었다. 그들의 이야기를 전하는 것은 나에게 큰 책임이자 기쁨이었다. 내가 쓴 글이 누군가에게 영감을 주고, 새로운 시각을 열어줄 수 있다는 사실은 나를 더욱 열정적으로 만들었다.

나는 내가 하는 일이 결코 헛되지 않음을 느꼈다. 내 글이 누군가의 인생에 긍정적인 영향을 미칠 수 있다는 사실은 나에게 큰 격려가 되었다. 이제 나는 또 다른 여행을 준비하며, 새로운 이야기를 전할 준비를 하고 있다. 강의와 봉사를 통해 얻은 소중한 경험들은 나에게 끝없는 영감을 주었고, 나는 그 영감을 바탕으로 많은 사람과 나누고 싶다. 앞으로도 여행작가로서, 사람들과의 교류를 통해 얻은 특별한 경험을 전하며, 더 나은 세상을 만드는 데 이바지하고자 한다.

여행은 끝이 없는 여정이다. 그 여정 속에서 끊임없이 배우고 성장하며, 새로운 도전을 맞이할 것이다. 그리고 그 모든 순간을 글로 담아 사람들과 함께 나누고 싶다. 여행작가로서의 특별한 경험은 내 인생을 더욱 풍요롭게 만들어주었고, 나는 그 길을 계속 걸어가기를 멈추지 않을 것이다.

강의와 봉사활동 여행에서 만난 사람들, 그들과의 이야기는 모두 소중한 보물처럼 마음속에 남아 있다. 그들은 나에게 많은 것을 가르쳐주었고, 나는 그들의 삶에서 배운 지혜를 독자들과 나누고 있다. 그들이 전한 따뜻한 마음과 진심 어린 이야기는 내 글을 통해 계속 살아 숨 쉬고 있다. 이 모든 경험이 모여 나를 여행작가로 만들어주었다.

처음 비행기에 오를 때의 설렘과 두려움은 이제 따뜻한 추억이 되었다. 앞으로도 내가 전하는 이야기가 누군가에게 작은 위로와 용기가 되고, 더 나은 세상을 만드는 데 도움이 되기를.

26.01.2012 18:
LOVE
이우자의 힐링이혈
행복하려면
인체 온도 1도를 높여라!!!

Happy Ear Therapy 귀를 알면
耳사랑 자원봉사자 모집
Happy Ear Therapy 귀를 알면 건강이 보여요!
耳사랑 자원봉사자 모집

〈캄보디아 봉사활동〉

임광숙

kslim1545@hotmail.com

덕성여대 대학원 국어학 석사
숙명여대 대학원 TESOL 과정 수료

現) 미국 거주, 작가, 심리상담가, 출판지도사
<성장숲> 오픈채팅방 대표
한국출판지도사협회 미주지부장
미국 의대 유학/이민 컨설팅

<이것만 알아도 미국의대 가기 참 쉽다>
<자녀 미국의사 만들기>
<내면의 평화를 위한 화해와 용서>
<여행에서 나를 찾다>,<바다의 신비>
<시간의 흐름을 걷다>
<생각하는 대로 살게 하는 출판지도사> 외 다수

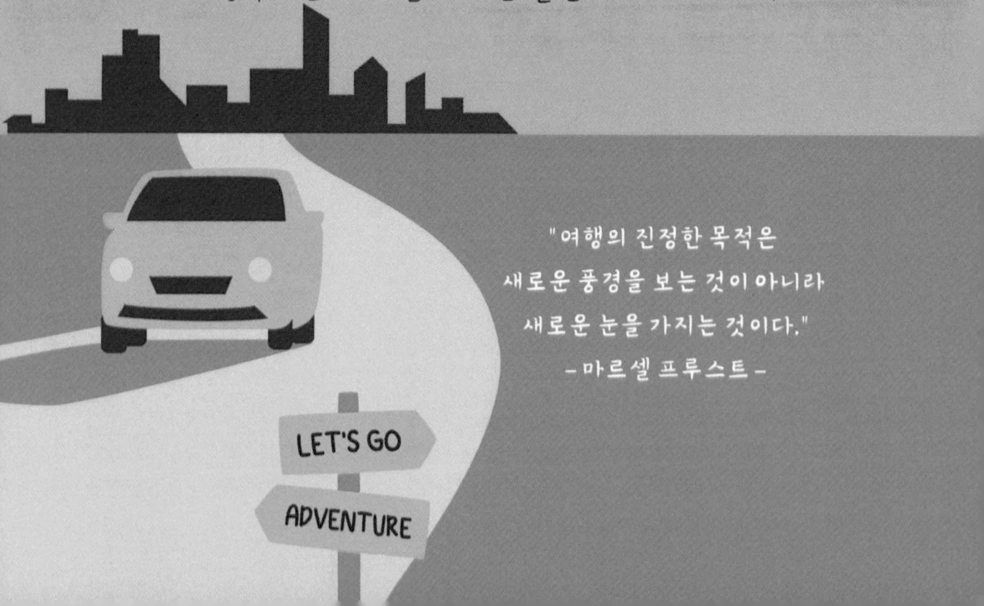

"여행의 진정한 목적은
새로운 풍경을 보는 것이 아니라
새로운 눈을 가지는 것이다."
-마르셀 프루스트-

LET'S GO
ADVENTURE

로열 캐러비안
바하마 크루즈

첫째 날:
설렘 가득한 출발

여행은 언제나 설렘으로 시작하지만, 여행지로 데려다줄 비행기에 안전하게 타기 전까지 절차와 변수는 번거로움을 지나 긴장감마저 느끼게 한다. 쫄깃쫄깃한 이런 긴장감이 여행하는 전체 과정 중 몇 번을 겪게 될지 알 수 없으나 이것 또한 여행의 묘미가 아닐까 싶다.

친구 B는 고등학교 1학년 때 절친한 친구다. 우리는 단발머리를 서로에게 맡긴 채 품앗이 머리 자르기를 서로 해줬던 사이다. 그녀는 대학에서 영어영문학을 전공한 후, D 항공 스튜어디스로 근무하다 결혼 후 남편을 따라 캐나다로 이민을 했다. 어언 33년간 캐나다, 타국에서 살아온 나와 같은 이민자다. 서로 삶이 바빠 자주 만나지는 못했으나, 언제 만나도 허물없는 그런 사이다. 그녀는 작년에 생업에서 완전히 은퇴하고, 운동과 세계 여행에 진심이다. 뜬금없이 연락해 바하마 크루즈를 함께 가자고 했을 때 나는 흔쾌히 대답했다. "오우케이."

볼티모어 인터내셔널(BWI) 공항에서 아침 일찍 국내선 비행기를 타고 플로리다 포트 로더데일(Florida Fort Lauderdale) 공항에 도착해 택시를 타고 크루즈 선박이 정박해 있는 로더데일 포트에 도착하니, 로열 캐러비안 ship Liberty of the Seas가 우릴 기다리고 있었다. 공항에서와 같은 체크인 절차를 마친 후 어린아이들처럼 신나라 하며 배에 탔다. 1층부터 15층 여기저기를 다니며 3박 4일간 이용할 공간을 둘러보았다.

3박 4일 패키지 가격 $466 모든 음식이 포함되나 주류는 제외. 인터넷 서비스는 4일간 패키지 $77 + tax에 구입해야 했다. 또한, 예약해야 하는 고급 레스토랑 중 한 끼 1인당 $70이 넘는 비용을 지불해야 하는 곳도 서너 군데 있지만, 아침과 점심은 11층에 있는 오픈된 뷔페 레스토랑, windjammer에서 무료로 하고, 저녁도 예약만 미리 하면 무료로 식사할 수 있는 3층에 있는 멋진 레스토랑, main dinning room에서 식사하기로 했다. main dinning room에서는 예약 없이 아침 식사도 무료로 서빙을 받으며 할 수 있다.

이상의 정보를 취합하고, 승선 후 첫 끼 점심 식사로 11층에 있는 뷔페에서 식사한 후, 배정받은 방에 돌아와 옷가지와 세면도구를 제 장소를 찾아 정리해 놓았다. 싱글 베드 2개를 붙여 놓은 침대와 침구는 정갈하고 포근했다. 3층에 있는 메인 다이닝에서 3일 동안 저녁 식사 예약을 6:30으로 하고 맛있는 저녁 식사를 마친 후, 저녁 8시에 아이스 쇼를 관람했다. 오페라의 유령부터 일본 신사참배 문화, 미국 웨스트사이드 스토리 등 여러 나라의 문화를 주제로 한 아이스 쇼는 감동과 재미를 주었고, 박수를 아낌 없이 치게 했다.

크루즈 배에 타면 제일 먼저, 핸드폰 설정에서 비행기 모드로 바꾸고, 인터넷 와이파이를 클릭하면 로열 캐러비안 앱을 다운받아 배 안에서 실시하는 공연과 모든 기본 서비스는 인터넷 사용료를 지불 하지 않고 이용할 수 있다. 그러나, 카카오톡이나 네이버 같은 다른 플랫폼은 유료 인터넷 사용료를 지불해야 사용할 수 있다.

10시에 이어진 스탠딩 코미디 쇼까지 관람하고 나니 피로가 몰려왔다. 룸에 도착해 좀 비좁은 듯한 샤워부스에서 샤워하고 자리에 누우니, 그동안 전혀 느낄 수 없었던 '내가 배에 있구나'를 느낄 수 있는 약간의 울렁임이 느껴졌다. 아침 일찍부터 우여곡절 끝에 승선을 마치고 다양한 액티비티까지 마친 크루즈 첫째 날을 마감하며 잠을 청한다.

내일은 얼마나 더 재미있고 신날까?

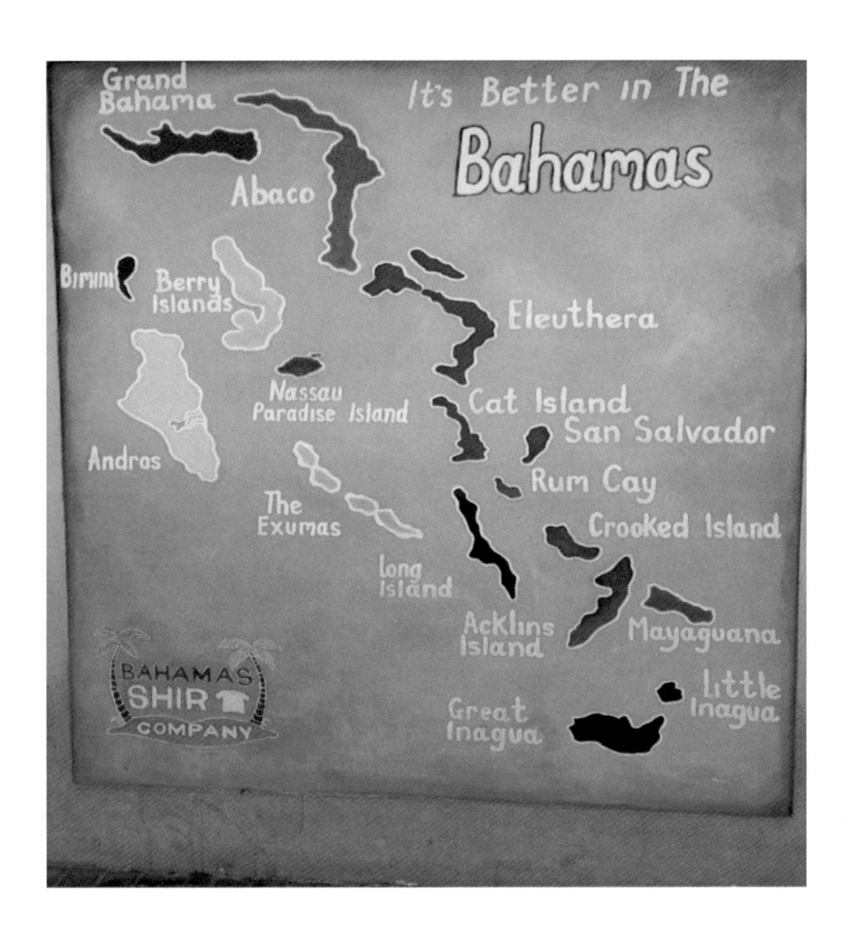
It's Better in The
Bahamas
Grand Bahama
Abaco
Bimini
Berry Islands
Eleuthera
Nassau Paradise Island
Cat Island
San Salvador
Andros
Rum Cay
The Exumas
Crooked Island
long Island
Acklins Island
Mayaguana
Little Inagua
Great Inagua
BAHAMAS SHIR COMPANY

둘째 날:
바다 위의 휴식과 탐험

6시에 일어나 간단한 운동복 차림으로 12층에 있는 트랙으로 향한다. 바람이 심하게 불어 배 정면 쪽을 걸을 때는 거의 날아갈 거 같은 위기도 느꼈으나 아랑곳하지 않고 9천 보 정도를 걸었다. 11층에 있는 아침, 점심을 먹을 수 있는 windjammer cafe에서 아침 식사를 맛있게 하고, 8시부터 4까지 허락된 나소(Nassau) 관광을 위해 배에서 내린다.

바하마(Bahamas)는 북대서양 루케이언 제도에 있는 섬나라다. 영어가 공용어이며, 29개의 주요 섬과 661개의 작은 섬(cays), 2,389개의 암초로 이루어져 있다. 총면적은 14,000㎢며, 인구는 33만 명이다. 수도는 나소(Nassau)이다. 오랫동안 영국 식민지로 있다 1973년 7월 독립했다. 관광업과 농업이 주요 산업이며, 많은 바하마인은 관광에 관련된 비즈니스에 종사하고 있다. 유난히 주얼리 숍이 눈에 많이 띄어

물어보니, 10%나 되는 세금이 감면되고, 세계적으로 유명한 디자이너가 만든 브랜드 네임 주얼리를 살 수 있어 많은 관광객의 인기를 끈다고 한다. 여기저기 줄지어 있는 상점들을 돌다 보니 아침에 트랙을 1시간 넘게 걸은 것에 더해 꽤 많은 시간 걷기 운동을 하게 되었다. 친구와 이야기꽃을 피우며 함께 하니 기분이 더 좋다.

나소에서 관광지 상점들 구경 외에 특별히 할 수 있는 활동을 찾지 못했기에 다시 승선해 점심을 먹고, 수영장과 스파에서 놀기로 하고 배로 다시 돌아왔다. 배에서 내릴 때와 다시 탈 때, 처음에 체크인할 때 지급해 준 개인별 카드 검색과 가방 검색을 꼭 한다. 외부로부터 다른 모든 것은 허락하나 주류 반입은 철저히 허용하지 않는다. 만약 술을 좋아하는 분은 크루즈 패키지를 예약할 때, 주류 패키지도 함께 미리 예약하면 좋을 것 같다. 바틀 워터도 제공하지 않으니, 텀블러나 물병을 하나쯤 준비하면, 룸에 들어가 아침에 약 먹을 때 도움이 되겠다.

덧붙여, 여행을 떠나기 전 로열 캐러비안 바하마 크루즈 앱을 다운받아 드레스 코드를 꼭 확인하길 바란다. 첫째 날은 캐주얼, 둘째 날은 멋진 정장 드레스, 셋째 날은 꽃무늬 드레스와 같은 드레스 코드가 있으니 짐을 싸기 전 아이디어를 얻을 수 있다. 이번 Liberty of the Seas 크루즈 선박에 승선한 관광객은 4,500명이고, 이들을 서포트 하기 위해 함께 승선한 크루는 2,000명이라 한다. 6,500명이 승선해 3박 4일간 생활하며 2일간 정박하여 나소(Nassau)와 퍼펙트 데이, 코코 케이 (PerfectDay at CocoCay)에서 야외 활동을 한다. 이 선박의 거대한 규모와 다양한 편의시설을 누리며, 타이태닉호에 탔던 승객들의 감흥을 잠시 추측해 볼 수 있었다.

오후 시간을 월풀에 들어갔다. 풀장에 들어갔다, 선베드에 누워 책도 읽고, 수다도 떨며 보냈다. 천편일률로 선베드에 누워 몇 시간씩 일광욕을 즐기는 사람들을 보며, 지금 이 순간이 어떤 이에게는 카이로스(Kairos)의 시간이, 또 어떤 이에게는 크로노스(Chronos)의 시간일 수도 있을 거라 생각해 보았다. 3층에 있는 메인 다이닝에서 생선 메뉴 위주의 우아한 저녁 식사를 한 후 우리는 The Saturday night fever 브로드웨이 뮤지컬을 관람했다. 멋진 춤과 노래로 뮤지컬을 보여주는 남녀 배우들의 멋진 공연에 이 크루즈 가격이 정말 싸다고 생각했다. 뉴욕에서 브로드웨이 뮤지컬 한 편만 보더라도 엄청나게 비싼 가격을 주고 티켓을 사야 하는데, 어제 아이스 쇼에 이은 뮤지컬 공연 관람은 정말 횡재 맞은 것 같은 기분이 들었다. 게다가 커튼콜 할 때 나오는 10여 명의 연주자를 보며 모든 것이 라이브였다는 것에 두 번 놀랐다. 복이 터졌다.

이어서 공연을 마친 배우들이 모두 밖으로 나와 승객 모두를 위해 70년대 디스코 경연 시범을 보이고, 승객들이 따라 할 기회를 주었다. 몇십 년 만에 춰보는 디스코 춤인지…. 분위기는 후끈하게 달아오르고, 너 나 할 것 없이 음악에 맞춰, 배우들의 시범을 따라 몸을 흔들기 시작했다. 땀은 흐르고 20대 대학생 때 유행하던 콜라텍, 디스코텍에 있는 듯한 추억과 열기에 20대 때 파릇한 내 몸 세포가 하나하나 다시 살아나는 것 같은 기분이 들었다.

셋째 날:
바하마의 아름다움과 즐거움

TRAVEL

여행 왔는데, 늦잠도 자고 늘어져 있으면 누가 잡아가나? 다른 날보다 1시간이나 일찍 잠에서 깨 일어났는데 왼쪽 무릎에 통증이 느껴진다. 어제 2만 보도 넘게 걸었는데 그게 원인이었나 보다. 최근 3개월간 운동과 너무 멀리 지냈다. 책 쓰기에 몰입하느라 다른 일은 거의 접고 살았다. 이번 여행을 분깃 점으로 매일 루틴에 걷기를 꼭 넣기로 마음에 결심하며 친구를 깨운다.

친구는 씩씩하게 조깅하러 올라갔고, 나는 침대 위에서 베개 2개를 등받이 삼아 기대어 누운 채 블로그 글을 쓴다. 오늘 일정은 퍼펙트 데이, 코코 케이(Perfect Day at Coco Cay)에 아침 8시부터 내려 놀다 오후 5시까지 돌아오면 된다. 코코 케이는 로열 캐러비안 선주가 소유하고 있는 개인 섬이다. 이 작은 섬을 관광지로 개발해 크루즈 손님들에게 하루 일정으로 개방하고 있다. 다른 크루즈 회사 선주들도 바하마의 작은 섬들을 소유해 이렇게 사용하고 있다 한다.

코코 케이 섬에서는 배에서와 마찬가지로 주류를 제외한 모든 것이 무료다. 레스토랑과 바가 여러 개 있어, 음식과 음료는 언제든 먹을 수 있다. 현금을 가지고 다닐 필요 없이 승선할 때 개인에게 나눠 준 카드를 주면, 타월도 무한정 받을 수 있다. 그러나, 사용 후 반납해야 나중에 카드에 차지가 안 된다. 처음에 여행 티켓을 살 때 개인 크레딧 카드 어카운트 정보를 적는데, 주류를 오더해 마시거나 무료가 아닌 것을 이용했거나 먹었을 때 나중에 내 크레딧카드 사용 빌에 청구된다.

이곳 코코 케이에서 어린이들을 위한 워터파크는 유료다. 1인당 아이, 어른 상관없이 $104이다. 친구와 나는 섬을 한 바퀴 돌아 보기로 하고 트램(Tram)에 올라탔다. 트램은 오픈 셔틀버스 같은 것으로 승객을 싣고 가다 그들이 내리고자 하는 곳에서 내릴 수 있게 해준다. 친구와 나는 대충 오늘 일정에 넣고 싶은 곳을 정한 후 먼저 사우스비치(South Beach)에서 내렸다.

의도적으로 그랬는지 모래사장을 일률적으로 걸을 수 있을 만큼의 폭으로 길을 내놓아 폭신한 느낌을 느끼며 요즘 혈액순환과 마음 안정을 위해 좋다는 맨발로 모래사장 걷기를 할 수 있었다. 해변 끝에서 끝으로 갈 때는 모래 위로 걷고, 올 때는 얕은 바닷물에서 걷는 것으로 가벼운 이야기를 하며 한동안 걷는 것을 즐겼다. 발목까지 닿는 깊이인데 물고기 떼가 왔다 갔다 한다. 하얀 백로는 사람을 피하지 않고 고요히 앉아 있다.

바다에서 수영하고 놀다 과일과 음료를 갖고 쉬기 위해 그늘에 있는 해먹으로 간다. 눕는 데 균형을 잡을 줄 몰라 헤매는 것도 재밌어 한동안 깔깔거린다. 좋다. 이런 곳이 천국이지. Chill Island에 있는 캐주얼 레스토랑과 Skipper's Grill 둘 중 점심을 어디서 먹을까 궁리하다 Oasis 풀장 바로 옆에 있는 Chill에서 점심을 먹고 풀장에서 놀기로 했다. 바비큐와 필리 스테이크 샐러드, 물에 라임 조각을 얹어 점심 식사를 했다. 한 접시만 먹으면 섭섭하지. 바로 타코바가 보인다. 막 구워낸 또띠아 위에 치킨, 블랙빈을 넣고 살사바에 가서 양상추, 살사소스, 할료피뇨, 과카몰리소스, 크림치즈 올리고, 라임 조각을 스퀴즈 해서 즙을 얹어 또띠아를 접어 먹으면… 이렇게 맛있고 건강한 음식은 정말 소울 푸드라 할만하다. 디저트로 아이스크림까지 먹는데 콘이 바삭한 게 버릴 것이 없다.

풀장 오아시스는 레스토랑에서 걸어서 갈 수 있는 거리에 있어 타월을 받아 들고 천천히 걸어갔다. 이미 많은 사람이 선베드에 누워 선탠을 하거나, 물속에서 음악에 맞춰 춤을 추며 즐거워하고 있었다. 이런 여유와 흥겨움이 여행을 꿈꾸게 하는 요인 중 하나가 아닐까 한다. 풀장에서 놀고 있는데 빗방울이 후드득 떨어진다. 타월을 반납하고 배로 돌아오며 혼자 생각한다. 시간을 도둑맞은 것 같은 느낌.

룸으로 돌아와 샤워한 후, 내일 돌아가기 위한 비행기 표 체크인을 마치고 보딩 티켓까지 발행받는다. 올 때와 달리, 내일은 공항에 도착하면 키오스크 단말기에서 종이 탑승 티켓 발행 없이 시큐리티 체크포인트 검색 통과 후, 바로 보딩 게이트로 가면 된다.

여행은 나에게 끊임없는 성장의 기회를 선사한다. 새로운 곳을 탐험하며 느끼는 경이로움과 여러 문화를 경험하고 새로운 인연을 만나는 것은 인생을 풍요롭게 만들어준다. 여행에서 얻는 가장 소중한 것 중 하나는 다양성에 대한 이해이다. 다양한 문화를 경험하면서 인간의 다양성과 다른 관점을 받아들이는 법을 배우게 된다. 이번 로열 캐리비언 크루즈에 참가한 승객은 86개 국가에서 온 사람들이라 한다. 이러한 다양성은 나에게 넓은 시야와 폭넓은 이해를 하게 하며, 인간관계에서 더욱 풍요로운 소통을 가능하게 한다.

여행은 실수를 통한 교훈을 얻게 한다. 새로운 환경에서는 언제나 예상치 못한 도전이 주어질 수 있다. 그러나 이러한 도전은 종종 성장과 배움으로 이어진다. 실수는 새로운 지식과 습득한 경험을 통해 더 나은 방향으로 나아가는 계기가 된다. 또한, 여행을 통해 감사의 마음을 배울 수 있다. 새로운 장소에서 경험하는 모든 순간은 고마움의 감정을 갖게 한다. 아름다운 풍경, 현지 음식, 친절한 사람들과 만남은 감사와 축복을 느끼게 한다. 여행을 통해 세상은 얼마나 아름다우며 값진 것인지를 깨닫게 된다. 이렇듯 모든 경험이 나를 더 나은 사람으로 만들어주고, 그 흔적은 나의 글쓰기에도 반영되어 독자들에게 새로운 시야를 제시할 것이라 생각한다. 여행은 인생의 소중한 선물이다.

"여행은 결국 당신 자신을 발견하는 것이다."
- 가우틴 피셔

황경하

hkh250@naver.com

5분에 책1권 읽기 송파집중력 향상센터 대표
한국출판지도사협회 부회장
한국출판지도사협회 성동,광진지부장
한국지식문화원 대표강사
교육경력 20년
KCN뉴스 취재부장
베스트셀러 작가
<혼자 하는 여행 함께하는 여행>외 8권 작가
<혼자 하는 여행 함께 하는 여행> 편집
여행작가, 여행인문학 강사

"성격이 모두 나와 같아지기를
바라지 말라.
매끈한 돌이나 거친 돌이나
다 제각기 쓸모가 있는 법이다."
-안창호-

인생 2막을 위한

여행하고 글 쓰고 돈도 버는

여행작가 책쓰기

돌탑을 쌓아 올린 불상이 있는 괴산 무량약수사

인생 2막을 위해서 자기만족이 아니다. 이제는 자기 계발에 목숨을 걸어야 살 수 있다. 인생 2막을 성공적으로 사는 사람들이 많다. 나는 인생 2막을 위해 여행작가 책쓰기를 시작했다.

이제는 의식을 새롭게 변화시켜야 한다. 혼자가 아닌 성공한 사람을 찾아 벤치마킹해야 살아남을 수 있다. 나만의 콘텐츠를 찾고 배움에 투자를 아끼지 않아야 한다. 예전에는 실버라는 말을 많이 사용했는데, 요즘은 엑티비티 시니어라는 말을 사용한다. 실버는 무조건 아끼고 자식만을 생각하는 세대라고 한다. 하지만, 엑티비티 시니어는 자신을 위해 자기 계발하고 배움에 돈을 투자하는 사람을 말한다.

시대가 바뀌었다. 인생 2막 은퇴 후에도 이제는 일해야 한다. 은퇴한 사람을 많이 만나 보았다. 돈이 문제가 아니라 갈 곳 없을 때 제일

어렵고 힘들다고 말한다. 지금까지 가족을 위해 일했다면, 이제부터는 나를 위해 배우고 즐길 수 있는 일을 찾아야 한다. 책을 읽고 쓰고 여행하며 여행작가로 삶을 산다면 시간이 부족하다.

여행작가는 자기의 여행을 기록으로 남기는 사람이다. 그러나 기록의 방식은 저마다 다르다. 같은 곳을 여행하고도 각자 다른 이야기가 만들어진다. 누구는 하늘을 보고, 누구는 산을 보고, 누구는 바다를 본다. 자신이 본 여행이기에 똑같은 여행은 존재하지 않는다. 자신이 보고 느끼는 감정이 모두 다르기 때문이다. 여행하며 사진을 찍어 SNS에 올릴 때 뭔가 부족함을 느꼈다. 여행을 사진 한 장으로 표현하기 어려울 때가 있다. 사진 한 장으로 표현하기 어려울 때 글을 쓰기 시작했다. 글이 쌓이니까 책이 됐다. 여행작가는 여행하며 보고 느끼고, 다른 사람들이 잘 모르는 곳을 소개할 수 있다. 여행만 다녔는데 여행하면서 보고 느끼고 한 일을 기록으로 남기게 되니 베스트셀러 여행작가가 됐다. 여행작가는 참 매력 있다. 자신이 즐겁고 재미있는 일을 하며 살기로 했다.

괴산에 여행을 가게 되었다. 각 지역마다 볼거리가 많다. 그 지역에 어디를 갈까 하며 찾아볼 때가 제일 즐겁다. 원래 여행은 출발하기 전이 즐겁고 설렌다. 여행하면 뜻하지 않게 사람들에게 잘 알려지지 않지만 기억에 남는 곳이 있다. 우연히 알게 되어 찾아간 곳이다. SNS를 볼 때 여기는 꼭 가보고 싶다.라고 생각한 곳이 있다. 괴산 연화산속에 있는 무량약수사 라는 작은 사찰이다. 사찰에서 석탑은 흔히 볼 수 있지만, 돌로 쌓은 돌탑은 그리 흔하지 않다. 작은 사찰이지만 주변 환경이 모두 돌탑으로 만들어져서 기억에 남는다.

괴산 무량약수사는 연화산 산속에 있어 잘 알려지지 않은 곳이다. 사찰 입구에 도착해서 보면 길을 굽이굽이 돌아서 올라가야 한다. 길이 좁아서 다른 차와 만나면 서로 길을 양보하기 어렵다. 도로 폭이 좁아 큰 대형 버스는 올라갈 수 없다. 대형 버스를 타고 오신 분들이 한참을 걸어서 올라오는 모습을 봤다.

석탑은 화강암 등 석질이 좋은 돌로 세련된 석공들이 다듬어 조성하지만, 돌탑은 부도의 의미보다는 강가에서 흔히 볼 수 있는 몽돌을 모아 쌓은 것이라 투박하지만 토속적인 향수를 느끼게 한다. 사찰에 들어서면 다른 사찰과 다르다. 입구부터 돌탑이 쌓여 있다. 돌 하나하나 쌓아서 돌탑을 만든 정성이 돋보인다. 사찰에 도착해서 본 첫 느낌은 산 아래로 내려다보이는 풍광이 아름답다.라는 감탄사가 저절로 나온다. 하늘과 구름이 맞닿은 푸르른 산등성이 눈에 들어왔다, 높은 곳에 올라오지 않으면 볼 수 없는 풍광이다. 내가 사찰에 찾아간 날은 봄비가 부슬부슬 내리던 날이다. 봄비 속에 저 멀리 산등성에 피어난 운무는 더 환상적이다.

무량약수사는 돌탑이 몇 개 수준이 아니다. 돌탑이 양쪽 길가에 있다. 모양도 다르다. 집 모양 돌탑도 있고, 기둥 같은 모양도 있고, 불상을 돌로 쌓아 놓기도 했다. 사람의 키 높이보다 높은 돌탑이 많다. 이국적인 풍경이라 잠시 다른 나라에 온 듯한 기분이었다.

사찰을 둘러보며 걷는다. 걷는 여행은 몸의 건강뿐만 아니라 일상을 단순하게 만들고 복잡한 생각을 정리해 주는 마력을 가지고 있다. 걸으면서 황금색 장승을 만날 수 있다. 황금색 장승은 해학적으로 다듬어져 있다. 장승마다 웃는 표정이 다르다. 장승을 보고 있으면 웃음이 저절로 나온다. 신흥사찰이라 대웅전, 삼성각, 용신각 등 아담하게 지어져 있다.

연화산 무량약수사에 대한 안내표지판이 있다.

이 도량은 예로부터 순흥 안씨성 제일 망선암으로부터 그 유래가 전해오면서 보살님이 관리하여 용 신으로부터 삼신 기도로 잉태를 많이 시켰다고 합니다. 또 부정한 사람이 이 도량에 들어오면 즉시 물이 말라 없어진다는 전설이 있는 도량입니다. 지금의 주지 스님이신 대안 스님은 20년이란 시간과 세월 속에 기도정진 하시며 돌탑을 쌓았습니다. 약사여래 부처님께 합장 삼배 후 돌을 3번 어루만지며 원하는 소원을 빌면 됩니다. 원하시는 모든 일의 발전을 진심으로 발원 드립니다.

기억에 오랫동안 남아 있는 사찰이다. 사찰마다 특색이 있고, 아름다운 풍광이 다르다.

돌탑에 쌓아 올린 사랑 아내를 위한 정원 괴산 초원의 집

충북 괴산에 가면 쌍계 계곡이 있다. 연풍 쪽으로 10km 떨어진 지점에 위치한 쌍곡마을에서 제수리재에 이르기까지 총길이가 10.5km 길이의 계곡이 있다. 옛날에는 쌍계 라고 불렸는데 조선 시대 이황과 정철 등 유학자와 문인들이 이곳의 경치를 좋아했다. 계곡을 지나 사랑으로 쌓은 돌탑 정원 초원의 집이 있다.

괴산을 여행지로 정했다. 어디를 갈 것인지 찾아봤다. 아내를 위한 정원이란 말에 끌렸다. 초원의 집은 이곳에서 거주하고 있는 이재욱 선생님이 40년간 돌을 쌓아 정원을 만들었다. 정원이 개성 넘치는 모습에 반했다. 예전에 tv 프로그램에 소개되어 기억에 남아 있었다. 어느 누가 살면서 아내를 위해 이렇게 아름다운 정원을 만들어 줄 수 있을까? 라는 생각이 든다.

동글납작한 돌이 부린 마법, 아내를 위한 정원 초원의 집 안으로 들어갔다. 초원의 집은 개인 사유지이기 때문에 별도의 주차장은 없다. 마을 입구 근처에 주차를 하고 둘러봐야 한다. 돌담길이 길게 이어지는 아름다운 집이 나온다. 초원의 집에 도착했을 때 집 담벼락을 돌로 쌓아 놓았다. 담벼락을 따라 구경했다. 담벼락에는 태극무늬가 돌로 쌓여 있다. 극히 일부를 제외하고 모든 것들이 돌로 완성되었다. 수십 년의 결실로 완성된 돌탑 정원은 감사하게도 일반인들에게 개방되어 자유롭게 관람할 수 있다. 입장료 대신 간이 판매대에서 커피, 뻥튀기, 괴산 특산물을 소소히 구매하는 에티켓이다.

이재석 선생님의 정교함과 아름다움이 돋보인다. 수십 년의 시간과 정성과 내공이 그대로 전해진다. 이재욱 선생님은 목조각을 하셨던 분인데 돌의 단단함과 영원성에 끌려 돌을 쌓기 시작했다고 한다. 집 담장 울타리를 기본적으로 100여 평에 이를 것 같은 정원에는 크고 작은 돌 조형물이 완성되었다. 돌과 어우러지는 나무와 꽃들이 어우러져 더욱 아름답다. 내가 방문한 때는 4월 철쭉과 영산홍이 붉은빛 자태를 뽐내고 있었다. 돌탑과 붉은 영산홍은 아주 잘 어울리는 풍경이다. 사진을 찍어도 예쁘게 나온다. 이재석 선생님은 초원의 집에 없는 나무는 전국에 다니며 사서 심었다. 다른 곳에서 볼 수 없었던 주황색 철쭉나무, 노란색 철쭉나무가 있었다. 다른 곳에서 볼 수 없어서 더욱 신비롭고 아름다웠다.

곳곳에 쉬어갈 수 있는 돌로 만들어진 테이블이 있다. 쉬어 가는 곳에는 각종 나무 그늘과 다른 곳에서 볼 수 없는 꽃이 피어 있다. 푸르른 녹음과 활짝 핀 꽃이 잘 어울린다. 누구나 편안하게 쉬어 가는 곳이라고, 사모님께서 설명해 주신다. 유명지면서 전국 어디서든지 관광을 온다. 다양한 조각상을 감상할 수 있다. 아담한 돌집이 있고, 동네 사랑방 역할을 하는 쉼터, 가볍게 차 한잔을 기울일 수 있는 테이블과 의자가 있다. 사람 키보다 높은 항아리 모양을 돌탑, 여러 가지 특이한 돌탑이 많다. 가족의 모습과 우리나라와 세계를 표현했다. 둥글납작 한 돌을 쌓아 올린 작품이 대부분이다. 돌 자체가 하나의 작품이 되기도 하고, 돌 조각상도 있다.

우리나라를 돌탑으로 만들었는데 사진으로 남기는 포토존이 됐다. 사모님이 앉아서 여기서 사진을 찍어야 한다고 말씀도 해주신다. 지도 아래에는 지구본처럼 생긴 둥근 돌이 있고 아래에 앉아서 두 팔을 들고 사진을 찍으면 내가 지구와 우리나라 지도를 두 손으로 받쳐 들어 올린 사진을 연출할 수 있다. 지구본 위로 비상하는 우리나라 지도 같다.

미로와 같은 좁은 길을 통과하여 안쪽으로 향할수록 공간 구석구석 더욱 많은 작품이 이어진다. 수십 년간의 정성이 대단하다. 다양하고 멋진 작품으로 남았다. 수십 년간 이어온 돌탑 사랑, 몽돌 하나하나에 이재석 선생님의 사랑을 느낄 수 있다. 돌탑이 늘어나는 개수만큼 부부의 사랑도 지속되어 왔음을 알 수 있었다.

돌탑으로 만든 황금 와불상이 있는
맑은 산속 고즈넉한 청계사

경기도 의왕에 청계산이 있다. 서울에서 가까운 곳에 있어 가끔 나들이 가는 곳이다. 청계산 중턱에 자리한 청계사가 있다. 청계사까지 차량으로 올라와도 좋지만, 청계사 오르는 길에는 작은 계곡과 쉼터, 영유아 생태공원, 청계산 맑은 숲 공원 등의 산책로가 잘 조성되어 있다. 청계산 공영주차장에 주차한 뒤 운동 삼아 가볍게 트레킹 하기 좋다.

공영주차장에 주차하고 트레킹을 시작한다. 청계산 맑은 숲 공원 안내표지판이 나온다. 데크로드로 되어 있어 누구나 편안하게 숲속을 걸어갈 수 있다. 숲속에 들어서는 순간 시원하다. 청계산 도시민 여가녹지 (맑은 숲 공원) 산림 내 피톤치드, 산림욕을 통한 자연 치유력 증진, 정신건강 치료 활동을 위한 건강을 주제로 한 공간 조성이라고 안내가 되어 있다. 피톤치드는 스트레스 해소와 집중력이 향상되고, 면역력이 좋아진다, 내가 자연을 좋아하는 이유다. 자연에 나가면 머리가 맑아지고 그냥 기분이 좋아진다. 공원 숲길을 걸어가며 산새 소리, 계곡물 소리 모두 들려온다. 자연의 소리에 귀 기울이게 된다.

숲 공원 데크로드를 따라 청계사에 도착하면 청계사 입구에 우담바라 핀 청계사라는 큰 비석을 만날 수 있다. 청계사 입구에 아주 높은 계단이 나온다. 계단이 너무 높아 오른쪽으로 돌아보면 작은 길이 나온다. 번뇌가 사라지는 길이라는 표지판이 보인다. 표지판을 따라 작은 길로 들어서면 청계사 사찰로 쉽게 들어갈 수 있다. 산속에 있는 사찰이라 아주 고즈넉하다. 사찰에 도착했을 때 가족과 함께하는 행사가 진행되고 있었다.

청계산 태봉 자락에 있는 청계사(경기도 문화재 자료 제6호)의 극락보전 오른쪽에 있다. 길이는 약 15m 높이는 약 2m의 거대한 와불상으로 청계사 주지였던 지명스님의 주도로 1997년부터 조성하기 시작하여 1999년 완성되었다. 돌을 조각한 것이 아니다. 주먹만 한 차돌을 붙여 만들었다. 부처님이 편안하게 팔을 괴고 누워 있는 불상이다. 우리나라 사찰에 와불상이 여러 곳에 있다. 청계사의 와불상은 크기가 크다. 조그마한 자갈들을 모아 붙여 와불상을 만들었다고 하니 더 대단하다. 와불상 앞에서 삼배를 올리며 소원을 빌었다.

우담바라 꽃이 피면 영화스럽고 상서로운 일이 일어난다 하여, 영서화라 부르기도 하는 청계사의 우담바라는 부처님 눈썹에 모두 21송이가 피었다. 우담바라는 불교의 경전에는 3,000년에 한 번씩 피어나는 꽃이라고 한다. 우담바라는 부처님을 의미하는 상상의 꽃이라 하여 상

서로운 징조를 받아들여진다고 한다. 그 모습은 현재 사진으로 볼 수 있다. 또 조그마한 자갈들을 모아 조성한 거대한 와불상은 청계사의 명물이다. 사찰에는 조선 숙종 때 승려 사인비구에 의해 1701년 제작, 보물로 지정된 의왕 청계사 동종이 있으며, 청계사 목판, 청계사 신중도, 청계사사적기비, 아미타여래설법도, 비로자나삼신괘불도 등 다수의 유물이 경기도 유형문화재로 지정되어 있다. 〈출처 : 네이버 지식백과〉

청계사 여러 곳을 둘러봤다. 청계사에는 동종이 있다. 일제 강점기에 일본의 전쟁에서 사용할 물자를 확보하기 위해 대규모 수탈 정책을 펼 때, 이 종도 빼앗길 위기에 처했었다. 청계사의 스님들이 종을 서울 봉은사로 옮겨 잠시 감춰두었고 1975년에 비로소 청계사로 돌아왔다. 청계사 동종의 높이는 115cm, 입지름 71cm이며 무게는 420kg이다.

지금은 보존을 위해 부처님 오신 날에만 타종하고 있다. 청계사 주변에 단풍나무로 가득하다. 가을을 좋아하는 나는 단풍이 물들 때, 산이 물들 때 다시 방문하고 싶은 생각이 들었다.

여행을 하게 되면 우리나라 문화재를 만날 수 있는 시간이다. 몰랐던 문화재를 보며 공부도 할 수 있고, 새로운 생각이 떠오르기도 한다. 이제는 여행하며 보고, 느끼고 생각한 일들을 기록으로 남기며 여행책을 2권 썼다. 여행책이 베스트셀러에 올랐다. 여행작가로 살고, 다른 사람에게 나의 지식과 경험을 나누며 선한 영향력을 펼치며 인생 2막을 살아간다. 생각만 해도 좋은 여행, 여행하는 일이 직업이라면 얼마나 좋을까? 여행의 경험을 글로 옮긴다는 것은 행복한 일이다. 글은 말보다 강하고 오래 남는다.